D1233966

Chinon

COLLECTION DIRIGEE PAR
BERNARD GINESTET

François Midavaine

Chinon

Photographies de Marc Jauneaud
et Erick Michelot

LE GRAND BERNARD
DES VINS DE FRANCE

Jacques Legrand

Création et réalisation :
Jacques Legrand SA

Directeur éditorial :
Bernard Ginestet

Directrice artistique et technique :
Catherine Legrand

Secrétaire de rédaction :
Sophie Jéhanno

Cartes et graphiques :
Christophe Seychelles

Photocomposition et photogravure :
Valois Photogravure, Angoulême

© 1995 Jacques Legrand SA
BP 1, 24330 Bassillac. Tél. : 53 35 91 21
pour l'édition originale

ISBN 2-905969-74-1
Dépôt légal 4e trimestre 1995
Imprimé par Fournier A. Gráficas SA, Vitoria, Espagne
Relié par la SIRC, Marigny-le-Châtel

*A Pascale, qui a découvert
le Chinon, et à Romain et Nicolas,
qui ne tarderont pas à l'apprécier !*

L'auteur tient à remercier chaleureusement tous ceux qui ont apporté leur aide et leurs conseils pour la réalisation de ce livre, et principalement :

Jacques Couly, de l'Office de tourisme de Chinon, Serge Sourdais, du Syndicat des vins de Chinon, Jean Méré, rabelaisien érudit, Bernard Baudry, du musée du Vin et de la Tonnellerie, Raymond Loiseau, vigneron en retraite, Pierre Couly, de l'Ordre des Bons Entonneurs Rabelaisiens de Chinon, Patricia Chemin, régisseur du musée de la Devinière, Jean-Luc Péchinot, du magasine de la Touraine, le professeur Jacques Puisais, œnologue distingué, sans oublier François Rabelais, pour ses avis toujours précieux.

Un merci tout à fait spécial à l'équipe d'Édito, et principalement à Catherine Grondin, secrétaire de rédaction, et à tous les « sympathisants »: Pascale Midavaine, qui a aussi arpenté les bibliothèques, Lucette et Fernand Midavaine, Jacques Siret, Nathalie Grondin, Christophe Arnold.

Ouvrons le ban

Comme Bordeaux et Cognac, la ville de Chinon a donné son nom à une appellation d'origine contrôlée. Si celle-ci s'inscrit dans la dénomination générique des « Vins de Touraine », elle possède cependant une identité qui est aujourd'hui bien caractérisée, après quelques générations où la délimitation viticole releva d'un arpentage un peu élastique, ce que François Midavaine explique avec pertinence.

Il y a déjà longtemps que je souhaitais inclure dans notre collection un ouvrage sur Chinon. D'abord parce que cette région, sa ville et ses ciels aux lumières émouvantes et mouvantes méritent notre admiration. Ensuite parce que plusieurs pages sacrées de l'Histoire de France y ont été écrites à maintes époques, le vin du cru servant parfois d'encre sympathique, notamment au génie philosophique et substantifique de François Rabelais. Enfin parce que j'ai découvert, voici une quarantaine d'années, les dives bouteilles de Chinon grâce à mon cher ami Pierre Couly, alors que, par naturel atavisme et piété familiale, je ne jurais qu'en crachant professionnellement dans les chais bordelais. Toujours est-il que je conserve de mes dégustations à Chinon, trop rarement renouvelées au fil des années, un goût persistant où le parfum tenace de la vieille amitié donne une note d'émotion personnelle.

A propos de vieillissement, il faut dire d'entrée en bouche que le vin de Chinon est d'une très rare longévité potentielle. Il peut en cela damer le pion à bien des crus du Médoc. Serait-ce l'héritage de son ancien maître, Thibault, dit le Vieil, car il mourut presque centenaire, rare phénomène au Xe siècle ? Ce Thibault-là fut aussi surnommé le Tricheur, ainsi que l'explique le roman de Rou par ce vers : Thiebault fu plein d'engien et plein fu de feintié... *Mais que le lecteur-buveur se rassure, la « feintié » n'a pas traversé les siècles pour se retrouver* aujourd'hui dans les verres emplis de Chinon. Bien au contraire, ils sont des plus « loyaux et marchands », et la conscience collective des producteurs de l'appellation est sans doute l'une des plus exigeantes qui soient dans notre doulce France viticole.

L'un des principaux artisans de l'excellente image vineuse des Chinon contemporains est sans conteste Jacques Puisais. Ce professeur œnologue aux multiples talents est un maître à goûter, comme, au temps des Lumières, il y avait des maîtres à danser ou à jouer de la viole de gambe. Son vocabulaire de dégustateur, d'une richesse aussi sensoriellement juste que perceptiblement sensible, a donné le ton aux dégustateurs chinonais au point qu'on croirait entendre le pape Puisais lui-même en lisant les descriptions organoleptiques des vins présentés au répertoire des crus.

Si l'on veut se montrer manichéen et tout résoudre de manière binaire, il y a deux styles de Chinon. Ceux qui doivent vieillir et ceux que l'on doit boire jeunes. L'obligation marquée par le verbe devoir n'est pas de même nature dans un cas et dans l'autre. Au premier cas, c'est le vin qui doit attendre, jusqu'à ce que le dégustateur puisse lui découvrir le meilleur de ses qualités intimes. Le véritable amateur se doit de respecter la retenue -- la pudeur, pourrait-on dire -- du vin. Au second cas, le buveur peut sans vergogne ouvrir le flacon impatient dans sa prime jeunesse. Dans les deux cas, le vin de Chinon est bon à être bu.

Mais il ne faut pas se tromper de bouteille ni de moment !

Bernard Ginestet

Sommaire

Il était une fois...

Il était une fois... J'ai toujours su que cet ouvrage devrait commencer par ces mots. Comment envisager d'autre entrée en matière, dans un pays où se côtoient tant de rois, de reines, de princes et de princesses, et tant de châteaux, dont celui, tout proche, qui inspira Perrault pour *La Belle au Bois Dormant*. L'histoire de Chinon réunit également tous les ingrédients indispensables qui transforment en vrai conte le plus banal des récits : on y rencontre de bons génies, une fée, un prince charmant et une éminence, somme toute assez grise. Quel générique ! La « petite » histoire du Chinonais – y a-t-il une petite histoire ? – rejoint souvent l'histoire de France. Maurice Bedel l'a bien résumé dans sa formule : « Chinon, ville de si peu de poids aujourd'hui, lourde hier de tout l'avenir de notre pays. » Cette noblesse indéniable, qui transpire du tuffeau lumineux des châteaux et des masures, confère au Chinon un charme indéfinissable et une force tranquille qui lui est propre.

Dans le grand concert des vins de Loire, cette Vallée des rois à la française où les vignobles se succèdent dans une mosaïque éblouissante, le Chinon occupe une place à part. Contrairement à ses cousins, au caractère et à l'image de vins légers et friands, il possède une personnalité affirmée, parfois ombrageuse mais imposant toujours le respect, héritage sans doute des origines bordelaises de son cépage et de la richesse de son histoire. Et il sait en jouer : un ami m'a avoué récemment avoir conservé de Chinon un souvenir tenace. En visitant la ville, à l'âge de 10 ans, il put y goûter du vin pour la première fois de sa vie. Cette expérience valait déjà sûrement un superbe souvenir, mais le fait que le flacon fût en étain marqua l'esprit de ce néo-dégustateur à jamais. Le Chinon a su faire le délicat amalgame de l'esprit ligérien, qu'il sait si bien affirmer dans sa jeunesse, et de la noblesse des très grands vins, qu'il atteint en prenant de l'âge. Ce sublime paradoxe fait la richesse et l'originalité de ce terroir.

La Belle au Bois Dormant

Pourtant, le Chinon est sans nul doute un rescapé. La vraie Belle au Bois Dormant, c'est sûrement lui. Ce vignoble peut se prévaloir d'origines très anciennes et connut des heures glorieuses plus précocement que bien d'autres régions viticoles. Mais il fut, à partir du xviie siècle, comme touché par un sort et sombra dans une profonde léthargie. Cette période correspond à une certaine disgrâce de Chinon après l'époque faste que connut la cité, du Moyen Age à la Renaissance. Progressivement délaissée par les rois, la ville fut ensuite concurrencée par les vues de grandeur du cardinal de Richelieu, qui préférait « sa » commune, à quelques lieues plus au sud, et ne se priva pas de la développer au détriment du Chinonais. Perdant tout intérêt stratégique, Chinon passa du rang de place forte à une douce quiétude provinciale. C'est vrai que le royaume lui devait beaucoup et sembla lui accorder une retraite méritée. Loin de la cour, loin des puissants, l'aura de Chinon et de son vignoble eut vite fait de diminuer. De capitale, la ville devenait sous-préfecture ! Il est vrai que 9 000 âmes – c'est sa taille actuelle – constituent une population bien réduite pour jouer un rôle de premier plan. Comme retirée des affaires, Chinon se mit donc à couler, avec la Vienne, des jours paisibles. Discrète, elle se fit presque oublier. Tout juste se rappelait-on que s'y trouvait un grand château et qu'elle s'appelait Chinon. Cette association d'idées lui valut d'ailleurs, très récemment encore, d'énervantes confusions avec une commune de la Nièvre, presque homonyme, mais plus portée sur le rose politique que sur le rouge viticole.

▲ *La Maison Rouge est un bel exemple de l'architecture médiévale de Chinon...*

... et la pierre de tuffeau, malgré sa friabilité, traverse les siècles avec solidité. ▲

16

Quelques faits vinrent pourtant, de temps à autre, troubler cette sérénité, sans toutefois provoquer encore le réveil de la belle endormie. C'est ainsi que Chinon souffrit sûrement de la Révolution plus que toute autre commune de Touraine. Les Vendéens, remontant la Loire, y firent en effet halte en 1793 et occupèrent la ville une dizaine de jours avant de repartir vers l'ouest, pour tenter de prendre Nantes. Chinon fut surtout à cette occasion le théâtre de massacres de la part des armées régulières : 300 prisonniers d'un convoi de suspects exécutés en décembre 1793, sans que l'on en connaisse la raison. Il est évident que cette époque trouble ne devait pas inciter à la production intensive de vins de qualité et que les habitants devaient avoir l'esprit ailleurs.

Moins d'un siècle plus tard, les Prussiens occupent la région et s'installent à Azay-le-Rideau durant le conflit de 1870. Cette « ouverture » internationale perturbe encore un peu le Chinonais, qui va prendre, dans la foulée, le phylloxéra de plein fouet. Pour un vignoble presque confidentiel à l'époque, l'insecte est encore plus dévastateur que pour un cru installé. Il sort de cette nouvelle épreuve avec une surface réduite. Désemparé, il ne semble plus trop savoir où il va. Les replantations sont lentes, avec des cépages

▲ *L'image craquelle mais la mémoire ancestrale ne chancelle pas.*

variés. Et, comme la deuxième lame d'un rasoir efficace, la Première Guerre mondiale achève de cantonner la vigne locale dans un rôle secondaire. Dans tous les villages du Chinonais, de nombreux hommes partent à la guerre et ne reviennent pas. Les femmes, qui sont restées à la ferme, ont bien d'autres chats à fouetter que de produire du vin, et surtout de se préoccuper d'appellation. Il faut dire que le vignoble se distingue alors par un morcellement extrême. Tous les producteurs sont avant tout polyculteurs : chacun possède un ou deux hectares de vignes – mais jamais plus – au milieu de céréales, d'asperges et de bétail. Ne vous méprenez pas : à l'époque, ce ne sont jamais les vignes qui font bouillir la marmite de la propriété. Quant aux cépages, il ne faut pas se voiler la face. Le fameux breton – ici, on disait « beurton » –, star de cet ouvrage, occupe bien une place à part dans le cœur des vignerons. A part, car chacun le considère depuis longtemps comme le meilleur, le plus noble et le plus fameux. Mais cela ne les empêche pas de cultiver maints autres cépages – grolleau et folle-blanche notamment –, dont certains hybrides peu avouables aujourd'hui. On dit alors avec respect d'un vin très réussi qu'il « beurtonne », quel que soit le cep qui l'a produit. Cela prouve que c'est bien le « beurton » qui tient la corde dans l'esprit des vignerons. Inutile de préciser que les Rabelaisiens du cru pouvaient difficilement faire commerce de leur vin, compte tenu des volumes produits, et se réservaient alors tout naturellement la majeure partie de la production.

Il y eut un premier sursaut au lendemain du conflit : dans les années vingt, quelques étrangers se prennent d'affection pour la région et essaient d'y créer de « vrais » vignobles modernes. Ainsi à Champigny-sur-Veude, d'anciens colons d'Afrique du Nord construisent un chai modèle « à gravité » – déjà ! –, cultivent avec des chenillettes et replantent. L'idée de récréer ici les méthodes algériennes pouvait séduire. Mais le climat de Chinon, si doux qu'il soit, n'est pas celui de l'Oranais, et le gel aura vite raison de leurs efforts. L'appellation d'origine viendra pourtant saluer les « usages locaux, loyaux et constants » du Chinonais viticole, dès 1937, installant définitivement le breton au rang de cépage mythique et noble. Mais Chinon semble recevoir cette distinction sans bien comprendre alors ce qu'il faut en faire. Pour tout dire, les voisins de Bourgueil viennent de l'obtenir et il serait dommage de ne pas suivre ce bel exemple. Ce n'est pas pour autant que le vignoble de Chinon sort encore de sa torpeur. Arrive la Seconde Guerre mondiale qui ne se montre, on s'en doute, guère propice à un quelconque réveil. Et les premières années qui suivront le conflit n'apporteront pas plus

Vous êtes le seigneur du lieu et vous contemplez jalousement votre fief. ▶

d'avancées : combien d'exploitations avouent aujourd'hui avoir redémarré au lendemain de la guerre grâce à d'autres cultures ? La France avait faim, elle n'avait pas encore soif de grands vins. Fort heureusement, les bonnes fées qui veillaient sur le berceau de Chinon n'allaient pas tarder à intervenir. Et les princes charmants à venir embrasser la belle endormie. Mais, avant de parler du réveil du Chinon, il convient de se pencher sur son passé : ses grandes heures et les causes de son sommeil. Par ici pour la visite, j'ai quelqu'un à vous présenter.

L'empreinte du géant

S'il est un bon génie qui a marqué l'histoire et le destin de Chinon, c'est bien François Rabelais. Il n'est pas une brochure, un livre, une publicité, qui ne fasse référence à Maître François. S'intéresser à Chinon, c'est suivre les pas du grand homme. Je ne pense pas que l'on trouve ailleurs dans le paysage viticole français, voire même international, une telle marque d'un individu sur une région. Il est partout. Sa statue veille sur la cité au pied du château. Les ruelles sont couvertes de plaques commémoratives signalant son passage ou se référant à son œuvre. Les restaurants, par leurs enseignes, renvoient aussi à l'auteur des cinq livres : le Rabelais, le Gargantua, le Pantagruel... se succèdent aux vitrines, jusque sur les pizzérias et les crêperies. Les étiquettes de vin sont couvertes de ses portraits ou de ses citations. Partout, François est là, maître à penser, maître à vivre. Son œuvre marque les esprits et les comportements. Combien de Chinonais ont appris à lire avec le gentil géant Gargantua ? Rabelais a enseigné à ses compatriotes une philosophie de tolérance, de bien-vivre et d'humanisme dont le terroir est imprégné, autant que les vins qui en sont issus. Déguster un verre de Chinon, c'est un peu communier avec ce grand esprit. Il est des liturgies plus contestables. Cette dévotion s'explique autant par l'exceptionnelle personnalité de François Rabelais – nous allons y revenir – que par la place qu'il a accordée dans son œuvre à la région de Chinon. La quasi-totalité de Gargantua, son deuxième ouvrage, mais le premier pour la chronologie de son récit, a en effet pour décor les environs de sa maison natale de la Devinière. Ligré, Seuilly, Lerné, La Roche-Clermault, Chinon... servent ainsi nommément de cadre aux faits d'armes de Gargantua et de Frère Jean des Entommeures, face aux armées du roi despote Picrochole. Chinon reçut donc avec ce livre une notoriété évidente et inespérée au XVIe siècle. Notoriété d'autant plus importante qu'à l'époque le français reste la vraie langue de la culture européenne. Si François Ier a choisi de déserter l'austère château de Chinon, mettant ainsi un frein à l'influence de la cité, toutes les cours d'Europe reçoivent avec amusement – et dans le texte – cet éloge presque publicitaire de la vallée de la Vienne et de ses vins. Peut-on rêver meilleure promotion, merveilleusement ciblée qui plus est ? Il faudra longtemps aux « communicants » de tout poil pour redécouvrir le procédé de la publicité déguisée en œuvre littéraire. Il est sûr en tout cas que, si Rabelais avait vécu à notre époque, il eût fait fortune auprès des Offices de tourisme locaux qui ne manquent pas aujourd'hui de « récupérer » sa prose comme manne céleste.

Particulière trilogie : Gargantua, son fils Pantagruel et leur père commun, Rabelais. ▶

Rabelais et son temps

Je l'ai dit, entrer en Chinonais, c'est suivre les pas de Rabelais. Je ne vois pas de raison d'échapper à cette douce règle et de ne pas vous livrer à mon tour les clés qui permettent de mieux cerner le personnage, et donc la terre qui l'a vu naître. Selon toute vraisemblance, le petit François voit le jour en 1494, à la Devinière, près de Chinon. Avant d'entrer plus avant dans l'histoire de Rabelais, il faut s'attarder quelque peu sur ce domaine. On a souvent dit que le lieu de naissance de Rabelais était sujet à caution. Son père, Antoine Rabelais, était en effet un avocat célèbre, fort riche et respecté, licencié ès lois, qui appartenait à la très haute bourgeoisie chinonaise. A ce titre, il possédait bien sûr une demeure dans l'enceinte même de la ville. Beaucoup en ont donc conclu un peu vite qu'il n'y avait pas de raison pour que son épouse choisisse d'aller accoucher hors les murs, dans une résidence secondaire. Il faut pourtant savoir qu'à cette époque, par réaction à l'austérité médiévale, l'esprit commence à primer le corps. De fait, toutes les manifestations visibles qui affectent l'enveloppe charnelle sont systématiquement gommées ou atténuées. La grossesse ne fait pas exception à la règle. Au fur et à mesure que ses formes s'arrondissent, la dame doit se cacher. L'attitude sociale typique de la bourgeoisie du xve siècle va même jusqu'à exiger de la future maman qu'elle aille mettre ses enfants au monde à la campagne. Cette règle non écrite se complique, dans le cas de Chinon, par le fait que la femme doit attendre les premières douleurs de l'enfantement pour quitter la ville. On imagine aisément tous

21

les désagréments, voire même les accidents, causés par cet usage alors que les moyens de transport et les routes sont loin de ce que l'on connaît de nos jours. Pour respecter cette règle, Antoine Rabelais fait donc les choses en grand. Il achète une propriété aux environs de Chinon, « la Cravandière », pour recevoir son épouse qui va accoucher. Ce nom de « Cravandière » va vite évoluer. On l'explique aisément : le mot « cravand » désigne alors les oies et les canards, dont on ouvre les entrailles pour lire l'avenir. De là à « Devinière », il n'y a qu'un pas qui est vite franchi. Notre homme, soucieux d'accueillir sa descendance dans les meilleures conditions, reconstruit rapidement la ferme. Quatre bâtiments sont édifiés : la maison de maître, la maison des métayers, une grange et une maison de vigneron. Un pigeonnier complétera l'ensemble un siècle plus tard. Il donne d'ailleurs une bonne vision de l'étendue de ce domaine, avec ses 288 trous en trompe l'œil dont les niches ne communiquent pas avec l'intérieur du bâtiment : une architecture typique de la Touraine. L'usage voulait, en effet, que la capacité du pigeonnier soit directement proportionnelle à la surface de la propriété. Chaque trou correspondait ainsi à 33 ares de terre, ce qui donne pour la Devinière une surface totale de plus de 95 hectares. Bel ensemble pour le XVIe siècle ! Pour la petite histoire, cette correspondance étroite entre l'étendue du domaine et la taille de son pigeonnier a longtemps donné lieu à des décomptes de la part des prétendants à la fille de la maison, qui entendaient ainsi estimer la dot à obtenir. Et, comme la dot en question se montrait souvent bien éloignée du calcul effectué, la sagesse populaire en a tiré l'expression « se faire pigeonner ». CQFD.

Madame Rabelais accouche et met au monde un joli garçon que l'on prénomme François. Conformément à l'usage, elle ne séjourne que quelques jours dans la pièce principale de la maison de maître qui lui a été réservée, et qui ne sera plus utilisée par la suite, avant de retourner à Chinon. Le petit garçon reste, lui, à la campagne, laissé aux bons soins du métayer du lieu et de son épouse. Jusqu'à 6 ans, il partage la vie des enfants de travailleurs de la terre. Son destin n'en diffère, en toute logique, que lorsqu'il se voit confier aux moines de l'abbaye de Seuilly, à quelques kilomètres de là. Ce sont eux qui vont se charger de son éducation. Vers 15 ans, François quitte la région pour entamer un parcours sans équivalent.

A l'image des grands esprits de son temps, et d'un monde qui sort péniblement des ténèbres du Moyen Age, Rabelais va faire preuve d'un éclectisme forcené. Religieux, il réussira l'exploit de changer d'ordre au cours de sa carrière, ce qui était et reste inconcevable. Il

◄ La maison de maître de la Devinière commandait un vignoble.

commence en effet son parcours comme moine franciscain à Fontenay-le-Comte en Vendée, avant de rejoindre les bénédictins à Saint-Pierre-de-Maillezais. Passionné par l'homme, il étudie à Montpellier – six semaines de cours à l'université lui suffisent pour obtenir son diplôme de bachelier en médecine ! – et devient l'un des cinq plus grands médecins européens de son siècle. Ses études le conduisent vers la botanique, tombée en désuétude pour la guérison des maladies. Il la remet au goût du jour et devient, dans ce domaine également, l'une des références incontournables du moment. Ses études de grec et de latin, qui le passionnent, l'amènent tout naturellement à se pencher sur la chose juridique et notamment le droit romain. Il l'accueille comme une bouffée d'air pur, pour sa rigueur et son universalité. Il faut préciser qu'à l'époque chaque région a ses usages et ses coutumes en matière de droit. Notre ami s'est attaqué de mauvaise grâce à ces règles difficiles à la fin de ses études, afin de pouvoir, le cas échéant, reprendre la charge de son père. Reste enfin la facette la plus connue de François Rabelais : l'écrivain. Il y a fort à parier que sa vocation lui vint initialement de son souci de veiller au moral de ses malades. Il fut en effet le premier à comprendre l'importance que pouvait avoir la santé de l'esprit pour la santé du corps. Il est alors vraisemblable que son but premier fut de faire rire ses patients. Son œuvre n'est

▲ *A la Devinière, un royal pigeonnier affiche la noblesse ancienne du lieu.*

24

constituée que de cinq livres, dans lesquels son héros fétiche, le géant Pantagruel, lui permet d'entamer une sévère critique de la société environnante. Tout le monde en prend pour son grade : rois, papes, clergé, notables, érudits, pèlerins... Un monde qu'il connaît mieux que quiconque : n'est-il pas le protégé du cardinal Jean du Bellay – l'oncle de Joachim – et, à ce titre, introduit à la cour de François Ier et à Rome, auprès du pape. Au fil de ses écrits, Rabelais pousse plus loin les piques, grossit le trait, mettant toujours les rieurs de son côté. Humaniste forcené, Rabelais est aussi un individualiste qui ne supporte aucune autorité, mais sait jouer de ses protections. Malgré toutes les flèches qu'il décoche envers son souverain, allant jusqu'à critiquer de façon à peine voilée son plan de bataille à Pavie – dans le chapitre sur la défense de l'abbaye de Seuilly par Frère Jean dans *Gargantua* –, François Ier restera son plus fervent admirateur. De même, il obtient régulièrement des bulles du pape Paul III, qu'il égratigne pourtant en s'élevant contre la déification dont il est l'objet. « Fay ce que voudras », Rabelais est inclassable, insaisissable et n'en fait qu'à sa tête. Même si cela lui vaudra de mourir dans le dénuement le plus complet, quelques années après la disparition de François Ier, il aura toujours mis un point d'honneur à suivre son propre chemin.

Mais, pour revenir à Chinon, il faut s'intéresser à l'autre héros de Rabelais, Gargantua. En entamant son œuvre écrite, Rabelais a choisi pour personnage principal Pantagruel. Il s'agit à l'origine d'un nain légendaire, issu de la tradition orale méditerranéenne, qu'il transforme en géant. Friand de démesure, Rabelais n'aurait jamais pu disserter sur une demi-portion ! C'est lui que l'on va retrouver dans quatre de ses cinq livres, et qui va servir de support aux idées de l'auteur. Mais Rabelais se trouve vite confronté à un certain scepticisme des lecteurs. Il a donc l'idée géniale de légitimer son héros en lui « inventant » un père déjà célèbre : Gargantua. La légende populaire connaît déjà bien ce géant brigand. Celte d'origine, on lui attribue dans de nombreuses régions des faits extraordinaires que les connaissances du moment n'expliquent pas : alignements de mégalithes, collines, bras de rivières, fractures de terrain... les exemples foisonnent. Avec ce père célèbre, Pantagruel se trouve, d'un seul coup, l'héritier d'une authentique tradition populaire qui lui assure un succès littéraire immédiat.

Second trait de génie, Rabelais va situer ce roman sur les lieux mêmes de son enfance, en Chinonais. La Devinière devient ainsi le château de Grandgousier, le père de Gargantua. Picrochole, le roi qui prend la mouche pour quelques fouaces, règne sur Lerné et prend La Roche-Clermault, tandis que Frère Jean des Entommeures défend avec acharnement l'abbaye de Seuilly. Cette région, si chère au cœur de Rabelais, devient un décor enchanteur de guerres pour rire. Car, paradoxe évident, le ton employé par Maître François pour décrire le Chinonais trahit son profond attachement à cette terre. Pourtant, après avoir quitté Seuilly, Rabelais ne reviendra vraisemblablement qu'une fois en Touraine, pour quelques jours seulement, et selon toute probabilité afin de régler sa succession. On pense qu'il avait quitté la Touraine le cœur léger, afin d'assouvir une soif de connaissance que l'absence d'un vrai centre culturel local ne pouvait satisfaire. Peut-être a-t-il ensuite compris, confronté à d'autres réalités au cours de ses périples, que sa terre natale était un pays de cocagne : jardin de la France et réserve de chasse favorisée par la nature, à l'écart des famines et des grands fléaux du moment. Une fois ce décor planté, les allusions au Chinonais se feront plus rares dans *Pantagruel* et les livres qui suivent.

▲ *Cette entrée modeste « débouche » sur la cave familiale des Rabelais.*

Figure de proue littéraire à l'aube de la Renaissance, Rabelais marque enfin la jonction avec le Moyen Age. La construction de son récit dans *Gargantua* – l'enfance, l'éducation, puis les faits d'armes du héros – est typique des romans d'éducation médiévaux, tandis que l'irruption du français en littérature – et quel français ! – est la marque d'une révolution culturelle. Jusque-là, les œuvres étaient avant tout latines. Aussitôt après lui arrivent Ronsard et du Bellay, dont le style, disons plus ampoulé, entre de plain-pied dans la Renaissance.

Ce long portrait du Maître s'impose pour comprendre comment il a pu à ce point marquer son temps et, a fortiori, les Chinonais ; comment il peut occuper une telle place dans tous les récits et les présentations de la région. Ici, avant Rabelais, il ne semble pas s'être passé grand-chose. Et, depuis, plus rien. C'est du moins la première impression qui prédomine, tant son ombre et celle de ses géants hantent les lieux. A la décharge de Chinon, il semble statistiquement impossible d'espérer voir naître un autre esprit de cette dimension. Mais qu'il est doux de vivre dans le sillage et dans le souvenir d'un tel homme !

Éloge du caractère

Rabelais, qui aime écrire l'histoire à sa façon, attribue en ces termes le développement viticole au premier des écologistes animaliers : « C'est Noé, le sainct homme auquel tant sommes obligez et tenuz de ce qu'il nous planta la vine, dont nous vient la nectaricque, délicieuse, précieuse, céleste, joyeulse et déificque liqueur que l'on nomme le piot. » Je serai, pour ma part, un peu plus prudent que Messire François : au risque de se répéter lorsque l'on parle de vignes dans notre doux pays, il est à peu près évident que ce sont les Romains qui ont amené les cépages en Gaule et, mieux encore, la façon de s'en servir. Il fallut toutefois, en ce qui concerne le Val de Loire, attendre la fin de l'époque romaine. Jusque-là, l'empire – sans doute encouragé par l'ancêtre du Comité des vins de Bordeaux – protégeait jalousement les intérêts viticoles bordelais, en interdisant toute plantation de vignes au nord de la Gironde. C'est un certain Marcus Aurelius Probus, empereur romain entre 276 et 282, qui lève l'interdiction. Encore un bon génie pour le Chinonais ! Cet homme de bien, auquel Chinon, Anjou, Touraine et autre Muscadet doivent tant, a laissé dans l'histoire l'image d'un fin gestionnaire. Il ne profita pas de ces avancées puisque ses soldats, lassés par ses excès de discipline, le massacrèrent. Pourtant, il semble que son action était attendue car, dès la levée de l'interdiction en 281, les cépages envahissent pacifiquement les rives de la vallée de la Loire, pour profiter de la douceur de son climat autant que ses superbes capacités de navigation.

Avant de disserter sur l'exceptionnelle couleur des ciels de Loire et leurs bienfaits sur le caractère des vins du cru, il convient de s'attarder un instant sur le réseau navigable qu'offraient la Loire et, dans le cas qui nous occupe, la Vienne. Car les vraies causes du développement des vignobles sous ces latitudes – nous sommes ici dans la zone la plus septentrionale de culture de cépages rouges – sont avant tout économiques et religieuses. Leur implantation au IIIe siècle était bien sûr le fait du catholicisme naissant qui créait une nouvelle et forte demande : pour célébrer une messe, encore faut-il un peu de matière première ! Mais le vin nécessitait aussi un réseau efficace de communication pour parvenir sur les lieux de consommation. Les facilités de transport qu'offrent la Loire et

◄ *Rabelais a été sculpté à vif dans le tuffeau,* ad vitam æternam *!*

la Vienne vont sans aucun doute aider Chinon, ou tout au moins son ancêtre gallo-romain Caino, à se développer sur le plan viticole. Car l'importance de l'oppidum installé sur la roche qui domine la Vienne et la densité des populations environnantes ne justifiaient assurément pas la mise en place de larges étendues de vignes. En ce qui concerne la création de la cité, Rabelais a d'ailleurs encore fait des siennes, puisqu'il qualifie Chinon de plus ancienne ville du monde, en affirmant, ni plus ni moins, que le nom de Caino dérive de... Caïn : « Je, dy, trouve en l'escriture sacrée que Cayn fut premier bâtisseur de villes, vray donques semblable est que la première, il, de son nom nomma Caynon, comme depuis ont, à son imitation, tous autres fondateurs et instaurateurs de villes, imposé leurs noms à icelles... » Il en faisait ainsi la ville créée par le fils en disgrâce

d'Adam et Eve. Difficile en effet de faire plus vieux ! Et tout aussi difficile à vérifier. Il est sûr en tout cas que la place, par sa position de domination en surplomb de la Vienne, sur la route du Poitou qui plus est, avait dû attirer les hommes de bonne heure. Dans sa fameuse *Histoire des Francs*, l'évêque historien du vi^e siècle, Grégoire de Tours, indique que les Romains ont bâti ici une place forte. L'auteur la désigne sous le nom de « Castrum Caïnonense » et la présente comme un site stratégique de première importance. Des vestiges gallo-romains découverts dans les fondations du château confirmeront d'ailleurs cette version.

▲ *La valse romantique de la Vienne, au pied des coteaux. Chinon à l'horizon.*

Le vin de quatre rives

Pour revenir aux fleuves, on remarque que le terroir chinonais est bercé par trois cours de première importance. La Loire tout d'abord, qui, sans atteindre ici la taille qu'elle affiche à sa rencontre avec l'Atlantique, présente quand même à proximité du Véron une largeur respectable. La Vienne rivalise de son côté avec le fleuve royal, adoptant à Chinon – et à son échelle somme toute plus modeste – un profil assez semblable, fait d'îles et de boires, ces bras morts remis en eau en périodes de crue. Il faut noter que la Vienne, comme sa sœur la Loire, n'hésite pas à sortir de son lit pour recouvrir de ses limons fertiles les prairies environnantes. C'est, sans conteste, la Vienne

▲ *La Vienne se fait aussi ligérienne en cultivant des bancs de sable.*

qui donne aux vins d'ici leur caractère si particulier dans le festival ligérien. Après tout, les vins de la vallée, tout comme les châteaux de la Loire, sont peu nombreux – Chinon en tête – à border réellement le grand fleuve. Mais ce dernier, en prince despote et jaloux, a su, dans les deux cas, s'attribuer une gloire que ses affluents n'ont pu préserver. Il faut d'ailleurs rendre aussi hommage à deux autres des affluents ligériens, finalement peu éloignés de Chinon : l'Indre et le Cher. L'Indre pourrait se jeter dans la Loire un peu en aval de Langeais, après avoir léché les pieds du château d'Azay-le-Rideau. Mais, avant d'opérer sa jonction à la hauteur de la centrale d'Avoine, notre amie s'offre encore une petite promenade solitaire, sans doute afin de goûter seule aux charmes du Véron. Le Cher est lui un peu étranger à notre affaire. Vouloir s'attribuer ce dernier cours peut sembler un peu présomptueux, car, honnêtement, son trajet est bien éloigné du Chinonais. Pourtant les vignerons y tiennent, certains qu'il apporte lui aussi sa pierre au délicat équilibre climatique de cette région de confluences bénie des dieux. On dit souvent qu'un bon vin doit voir la rivière. Le Chinon est un vin de quatre rives : une pour la Loire, une pour l'Indre et deux pour la Vienne. Voilà en tout cas une région favorisée, où les ceps doivent finir par ne plus savoir à quelle eau se vouer !

Je serai pour ma part plus circonspect quant à l'influence réelle des fleuves sur la qualité des bouteilles : on constate toujours que les meilleurs crus sont bien situés le long des cours d'eau... pourvu qu'ils soient navigables. C'est d'ailleurs ce qui vaudra longtemps une certaine activité économique au vignoble chinonais, même si son marché reste géographiquement limité. Un écrit du XIe siècle raconte le périple d'un vigneron de Chinon et de ses barriques qu'il expédie à Nantes dans l'espoir de faire une bonne vente. L'histoire ne dit pas si notre apprenti négociant réussit son coup, mais son caractère exceptionnel traduit bien la retenue certaine qui marque déjà les Chinonais dès qu'il est question de commerce.

Après la période faste de la Renaissance, l'influence du négoce hollandais se fait sentir jusqu'ici. Ces redoutables marchands ont pris position commercialement à l'embouchure de la Loire au XVIe siècle. Ils ont été séduits par les capacités du fleuve, tant pour la production viticole que pour l'acheminement des vins. Les Hollandais s'attachent à satisfaire leurs clients du nord de l'Europe, en leur fournissant le vin qu'ils ne peuvent produire sur place. En négociants avisés, ils se sont installés à Nantes où ils profitent de tous les avantages d'un port franc : la Bretagne, rattachée à la France depuis le XIVe siècle, bénéficie toujours d'une frontière. Les vins qui descendent la Loire, pour être expédiés à Nantes, sont lourdement taxés. La pression des Hollandais se fait rapidement très forte, et ces derniers vont avoir une influence considérable sur la viticulture ligérienne. Soucieux de s'assurer une production constante et des qualités variées, ils encouragent et organisent les plantations : le Pays Nantais, non taxé, assure le tout-venant, l'Anjou et la Touraine, la production de vins de qualité. Il faut en effet que les vins d'amont soient suffisamment bons pour supporter sans crainte la lourde taxe qui les frappe au péage d'Ingrandes, entre Angers et Nantes. Le Val de Loire viticole fera d'ailleurs jusqu'au XIXe siècle la distinction entre « les vins pour la mer », les meilleurs, destinés à l'exportation, et « les vins pour Paris », plus ordinaires. Pour faciliter leur commerce, les Hollandais choisissent de s'implanter, au fil de la vallée, dans des villes de moyenne importance. Elles disposent d'une certaine infrastructure et se montrent plus malléables. Saumur et, dans une moindre mesure, Chinon seront donc des cibles de choix pour les négociants, qui y modèlent le paysage viticole à leur gré. Pour des raisons de marketing, les Hollandais préfèrent alors nettement les vins blancs, beaucoup plus faciles à vinifier et à transporter que les rouges. Leur clientèle réclame d'ailleurs cette couleur plus que toute autre. Pour répondre à la demande pressante des Hollandais, ici comme ailleurs dans le Val de Loire, ce sont bien évidemment les vignobles de blancs qui tiennent à cette époque le haut du pavé. Pour Chinon, l'adaptation n'est pas trop difficile. On sait en effet que le fameux chenin, le cépage phare de la vallée, fut sûrement l'un des plus anciens hôtes viticoles de la région. Les premiers écrits ligériens le mentionnent en effet dès le VIIe siècle, autour de l'abbaye de Montchenin. C'est pourquoi, jusqu'à la Révolution, qui marque la fin de l'influence hollandaise, le Chinon est avant tout un vin blanc. Le déclin du négoce hollandais ne stoppe pourtant pas le vaste trafic fluvial ligérien que les marchands ont contribué à développer. L'importance de la batellerie, en Loire et sur ses affluents, a été réelle jusqu'à l'arrivée du chemin de fer, au siècle dernier. On sait ainsi qu'en 1835 le trafic ligérien était équivalent à celui de la Seine entre Rouen et Paris, et vingt fois plus important que celui du Rhin à la même période ! Chinon comptait alors quatre quais d'embarquement, dont un à l'emplacement actuel de la statue de Rabelais et un sur la rive gauche au faubourg Saint-Jacques. Mais, si les marchandises qui transitaient sur la Vienne étaient alors nombreuses et variées, on est surpris de ne pas y voir beaucoup de traces du vin. Ainsi, contrairement à ce que l'on observe en aval sur la Loire, où le transport du vin par son importance entraîne souvent des taxes exorbitantes, les tarifs de péage ne parlent ici jamais de barriques. Il est donc tentant d'en déduire qu'il s'agissait d'une marchandise confidentielle. On a même longtemps dit que le vin de Chinon ne voyageait pas et qu'il était fragile. De fait, les vignerons semblaient nourrir une certaine anxiété lorsqu'il s'agissait d'expédier le fruit de leur labeur.

Durant des siècles, la Vienne a été la principale voie de communication du Chinonais; peu de vestiges subsistent de la batellerie locale, mais la vigne regarde toujours « sa » rivière.

Autant en apporte le vent...

Autant que sur l'influence multiple des divers fleuves qui bercent le Chinonais, il faut insister sur la situation géographique de la Touraine. Il suffit d'ouvrir une carte de France pour comprendre que cette terre est celle de l'équilibre. Ni trop à l'ouest ni trop à l'est. Ni trop haut ni trop bas, délicatement excentrée pour ne pas être taxée de neutralité. On est pourtant surpris, en prenant contact avec cette région, d'entendre répéter à l'envi que son climat est océanique. Pour tous ceux qui ont pu apprécier les différences entre un Muscadet Coteaux-de-Loire et un Côtes-de-Grand Lieu, différences dues en grande partie à leur situation par rapport à l'Océan, cette affirmation prête à sourire. Bien sûr, nous ne sommes pas si éloignés du littoral à Chinon, mais comptez quand même deux bonnes heures avant de faire trempette. Toutefois, il serait osé d'affirmer que les embruns ne s'offrent pas, de temps en temps, une petite virée dans les terres. La douceur du climat est là pour en témoigner : les fortes chutes de neige sont ici aussi incongrues que les grosses chaleurs. Touraine terre d'équilibre et d'harmonie, que tant de retraités choisissent pour goûter aux joies d'un repos mérité et bien sûr aux vins de l'endroit. Le récent « doublé » de gelées tardives, en 1991 et 1994, n'en fut, ici, que plus inattendu. Le dernier événement de ce genre remontait au début des années soixante-dix. Compte tenu du caractère « de garde » du Chinon, ces accidents – certains n'ont récolté que 5 hl/ha en 1991 ! – n'ont pas eu de conséquences trop dramatiques. Les vignerons disposaient en effet en cave d'une bonne récolte d'avance, et ils ont pu « amortir » le choc. Dans ce registre, le coup est encore passé bien près au printemps 1995 – quelques chapeaux de cuves ont dû tomber –, ce qui ne manque pas de faire jaser sur la destruction de certains équilibres climatiques. On vit une époque formidable !

Mais la grande particularité du Chinonais réside dans sa position géographique qui ne soumet la région à aucune influence de vent particulière. On sait que la Loire est souvent considérée comme une barrière climatique fondamentale dans notre pays. Cela explique sans doute que sur ses rives les excès de tous ordres soient proscrits et que le ciel hésite constamment entre soleil et nuages. Ici, selon les années, les vents dominants sont d'ouest ou d'est. C'est Jacques Puisais, véritable « gourou » viticole de la région, nous y reviendrons, qui a le premier souligné ce phénomène. Selon lui, l'effet millésime, toujours marqué sur les Chinon, s'explique par ce côté girouette. Les vents qui ont marqué l'année permettent aux vrais initiés de retrouver l'âge exact du vin, puisqu'ils influencent grandement sa personnalité. Ainsi le 93 a-t-il subi une influence « ouest » qui développe un caractère souple, assez bordelais, tandis que le 89, marqué par un vent oriental plus sec, est plus concentré et s'apparente davantage au ton bourguignon.

Les touristes trouvent peut-être qu'il pleut trop souvent ici. Ce n'est pas tout à fait faux. Il faut toutefois préciser que « souvent » est loin de signifier « tout le temps ». Tel un vigneron habitué à goûter régulièrement ses vins et ceux de ses voisins, et à saisir toutes les occasions pour partager un verre, sans pour autant abuser, le climat tourangeau aime l'eau mais sait limiter les précipitations. La pluie est donc régulière mais ne dure jamais longtemps. Et le soleil revient avec constance inonder les superbes ciels de Loire de sa lumière sûrement un peu plus crue ici qu'ailleurs.

Que serais-je sans tuffeau ?

Il reste un dernier élément pour expliquer le caractère des vins de Chinon. Peut-être le plus fondamental et le plus spécifique. Il s'agit d'une roche calcaire friable au teint clair, très prisée en construction : le tuffeau. On retrouve le tuffeau un peu partout au fil de la vallée, notamment sur Saumur ou sur Vouvray. Mais, en remontant le fleuve et en quittant le Saumurois, on comprend vite la particularité du tuffeau de Touraine. Autant que dans le sous-sol et les vins, celui-ci s'exprime bien évidemment dans l'architecture. L'ambiance de Saumur et des villages alentour reste empreinte, sur tous les bâtiments, d'un esprit militaire et rigide que l'on abandonne dès l'entrée en Indre-et-Loire. Aux abords de Chinon, les bâtiments se font plus chaleureux et moins austères. Mais les différences ne se limitent pas au simple style architectural. Il est évident que le tuffeau, par son éclat incomparable, est l'un des éléments principaux de la lumière ligérienne, dont il joue à merveille. En Chinonais, le tuffeau apparaît subtilement plus « terre de Sienne » qu'il ne l'est à Saumur. La nuance est fine mais elle peut expliquer en partie que le cabernet-

▲ *Le tuffeau est un doux miroir pour la lumière chinonaise...*

franc ne s'exprime pas de la même façon sur les deux terroirs. La Touraine repose dans son ensemble sur un socle calcaire d'une centaine de mètres d'épaisseur, qui date de l'ère secondaire. Il a été profondément raviné par les fleuves et les rivières, et, pendant l'ère tertiaire, les couches crayeuses se sont transformées en surface en croûte argilo-siliceuse parsemée de calcaire. Un événement important allait ensuite marquer l'histoire tourangelle. Au Miocène, un affaissement du Massif armoricain entraîna la submersion du Maine, de l'Anjou, de la Touraine et du Blésois par la mer des Faluns. Ce phénomène explique la présence de sables et de coquillages sur les anciens rivages de cette étendue maritime. Notons également qu'avant la mer des Faluns la Loire ne bifurquait pas à Orléans et empruntait la vallée du Loing puis celle de la Seine pour achever sa course dans la Manche. Sans cet événement géologique, il y a fort à parier que l'on ne parlerait pas de vins de Loire !

... et il est une bonne protection naturelle aux précieuses bouteilles. ▲

L'influence du tuffeau ne se limite pas à un effet terroir sur le vin. Ses qualités exceptionnelles de tendreté – qui rendent sa taille et son exploitation faciles – ont attiré depuis longtemps les architectes du Val de Loire. Pour extraire le tuffeau, il a fallu creuser dans les coteaux. L'usage voulait ainsi que chaque château dispose, après son édification, d'une cave toute trouvée à proximité. D'autres de ces trous ont été creusés pour la culture des champignons. Cette activité a aujourd'hui presque disparu, tandis que le vin prenait économiquement une place dominante dans la région, et qu'il récupérait à son profit tous les orifices ainsi aménagés. Car les vignerons ont vite compris tout l'intérêt de ces étendues souterraines : une température constante comprise entre 10 et 12°, une hygrométrie exceptionnelle avec une humidité proche de 100 % et, en prime, la pénombre indispensable au repos des plus belles bouteilles.

Je ne résiste pas, ici, au plaisir de vous livrer une anecdote savoureuse que m'a livrée Pierre Couly. Elle fait référence à la « fillette », cette petite bouteille de 35 cl, typique de la vallée de la Loire, et elle illustre à merveille les vertus des caves de tuffeau, dans lesquelles l'humidité ambiante fait vite prendre aux bouteilles une superbe patine. On sait que la fillette tient une place importante dans la convivialité ligérienne et que l'habitude était sacrée de « baiser une fillette », au café, entre amis, sans que la moralité y trouve quoi que ce soit à redire. Un jour, le père Mathieu, viticulteur à Chinon, reçoit dans sa cave la visite d'un groupe de Japonais. Les fils du Soleil-Levant s'extasient sur la cave creusée dans le tuffeau et sur les trésors poussiéreux qu'elle renferme. Ils tombent en arrêt devant un premier empilement de flacons et interrogent le vigneron : « Là, ce sont des bouteilles de Chinon 64 », s'exclame le père Mathieu. Poursuite de la visite et nouvelle question : « Ici, des magnums de Chinon 59 », répond le maître des lieux. Dernière station de ce sympathique calvaire viticole, les Japonais l'interpellent sur un petit tas de bouteilles recouvertes d'une épaisse couche de poussière et de moisissures : « Ah ça, ce sont des fillettes de 47 », indique le père Mathieu, non sans fierté. La visite s'achève, la dégustation délie les langues et le groupe repart heureux. Quelques semaines plus tard, le père Mathieu reçoit avec surprise le télégramme suivant de Tokyo : « Pour soirée entre connaisseurs, prière d'expédier d'urgence 24 fillettes à poil... » Drôle de ballet... rouge en perspective !

Pour la petite histoire, ces caves fournissent aussi un baromètre d'une fiabilité à toute épreuve. Que le temps change et une légère brume envahit l'espace. Mieux, deux jours avant l'arrivée d'une période de pluie, les bouteilles se couvrent de buée. Tous les œnophiles ont bien compris l'intérêt de ces caves de tuffeau, et les vignerons se ruent aujourd'hui sur celles qui restent disponibles. Comme il n'y a pas de châteaux ou de champignonnières pour tout le monde, beaucoup ont dû prendre la pelle et le marteau – certains sont allés jusqu'à la dynamite – pour aménager le *home sweet home* de leur progéniture bachique. Le problème est d'autant plus complexe aujourd'hui que les carriers ont pratiquement disparu et que les maçons se refusent, pour de sordides questions d'assurance, à effectuer ce genre de travail. Sûrement de peur que le « ciel » ne leur tombe sur la tête ! Cela permet toutefois à chacun de faire progresser ses surfaces de stockage à son rythme et selon ses goûts : ici une rotonde, ici un espace pour déguster, ici une salle d'attente... et là quelques piles de flacons. Les bienfaits du tuffeau en matière de conservation des vins ouvrent en tout cas des horizons aux spécialistes locaux qui, ayant réussi à éveiller la curiosité des vignobles concurrents par la qualité de leurs vieux millésimes, se mettent maintenant en tête de créer un conservatoire mondial du

vin. L'objectif avoué est de faire vieillir dans ces conditions idéales et identiques des vins de tous horizons. Gageons que cette étude permettrait aussi aux Chinonais de se mesurer, à armes égales sur ce terrain, avec des vignobles plus huppés. Nos Tourangeaux semblent assez sûrs de leur fait pour se risquer dans l'opération.

Pour être tout à fait précis, il ne faudrait pas réduire le rôle du tuffeau au seul aspect de la conservation. La pierre fournit aussi un sous-sol de caractère particulièrement adapté à la production de vins de grande garde. Il existe en fait deux grandes catégories de terroirs en Chinonais. Les plateaux argilo-calcaires et les coteaux argilo-siliceux d'une part, et les vins de plaine d'autre part où l'argile est recouverte d'une couche de graves. Les vins de cette dernière catégorie sont bien sûr plus friands et plus faciles à apprécier dans leur prime jeunesse. Ils se conservent aussi moins longtemps, nul n'est parfait. Je ne saurais trop vous encourager à faire un jour l'expérience d'une dégustation « tactile » pour bien comprendre le terroir chinonais. Il suffit de disposer d'un Chinon de graves et d'un autre de coteaux, avec pour chacun, dans un seau, un peu de la terre correspondante. Fermez les yeux, goûtez chaque vin en malaxant la terre. La correspondance de structure entre la bouche et le toucher est étonnante et vaut révélation plus que tous les discours. On peut même aller jusqu'à goûter une pincée de terre. La correspondance est une évidence. C'est donc le tuffeau qui donne au

▲ *Dans l'atmosphère saturée d'humidité, les moisissures font tapisserie.*

Chinon son caractère parfois ombrageux et qui différencie le breton d'ici des vins qu'il peut produire à quelques lieues, en Saumurois ou à Bourgueil. Cette puissance, cette charpente, qu'il ne partage avec aucun autre vin de Loire, conduisent à des qualificatifs très spécifiques lors de la dégustation : outre les classiques arômes de fruits rouges, on retrouve souvent dans un Chinon des teneurs viscérales et des accents de poivre, aussi tanniques que toniques. Les plus vieux peuvent également transporter le dégustateur dans le plus profond des sous-bois et exalter des senteurs de champignons très prononcées. Il faut d'ailleurs préciser qu'un Chinon de cinquante ans est souvent dans la fleur de l'âge : peu de vins, surtout parmi les rouges, et a fortiori en Val de Loire, offrent de telles capacités de vieillissement. L'intelligence des vignerons chinonais est de ne pas trop céder, contrairement à bien d'autres, à la vente des vins jeunes. Un Chinon doit s'attendre et se mériter.

Ce qui frappe enfin dans l'ambiance chinonaise, c'est le paysage lui-même. Il peut se diviser en plusieurs zones assez distinctes. Le Véron tout d'abord, en aval de Chinon, forme un triangle au confluent de la Vienne et de la Loire. C'est une région de tendres coteaux, plus marqués au nord avec les fameux « puys du Véron », qui sont quand même assez loin de rivaliser avec les auvergnats. Le Véron bénéficie d'un microclimat doux et sec, très spécifique, car les sables et les grès calcaires s'y échauffent rapidement. Beaumont-en-Véron, Savigny-en-Véron, Avoine, sont autant de noms qui sonnent aux oreilles des amateurs, tandis que Huismes marque la limite nord-est

Le Chinonais varie ses paysages à ravir : Avon-les-Roches (ci-dessus), Panzoult (en haut et à droite) et Beaumont.

de l'appellation et sa rencontre avec la dense forêt de Chinon. La vigne se fait curieusement assez rare dans cette région emblématique, louée par Rabelais, faite de petites propriétés et de petites parcelles. On la rencontre toutefois facilement sur Beaumont et Savigny, en étendues assez significatives. En amont de Chinon, sur la rive nord de la Vienne, s'étend Cravant-les-Coteaux. On se doute qu'avec un nom pareil les pentes sont ici plus marquées. Les fortes déclivités qui dominent la vallée de la Vienne justifient cette raison sociale. C'est ici le nouveau cœur de l'appellation, avec, sur la seule commune de Cravant, 30 % du total des surfaces chinonaises, mais on peut associer à cette région l'est de Chinon – le faubourg de l'Olive, notamment – et Panzoult. Les mauvaises langues diront que toutes les vignes de Cravant ne sont pas plantées sur les coteaux et que certaines ont envahi les prairies qui bordent le fleuve. La remarque est pertinente, mais elle relève surtout d'une certaine jalousie envers une commune qui s'est montrée particulièrement dynamique sur le plan viticole au cours des trente dernières années. C'est en tout cas l'une des rares parties du Chinonais où l'on se sente vraiment dans une région viticole : dans le reste du vignoble, les surfaces de vignes sont disséminées en de petites parcelles perdues dans les étendues

▲ *La géologie, c'est-à-dire la nature du sol, s'exprime en couleurs végétales.*

de céréales. Reste la rive sud. L'appellation se concentre sur une bande de terre assez étroite le long de la Vienne, entre la Devinière et L'Ile-Bouchard. On est ici en pleine « Rabelaisie », le paysage des guerres picrocholines, de La Roche-Clermault à Ligré. Cette dernière commune fournit d'ailleurs les Chinon les plus charpentés de l'appellation. Plus près de la Vienne, on trouve Rivière, Anché, Sazilly, puis L'Ile-Bouchard. Les pentes sont plus tendres que sur la rive nord et les parcelles souvent minuscules, avec toutefois quelques beaux coteaux viticoles autour de Sazilly. Chinon, terre d'équilibre : à quoi bon afficher de façon ostentatoire des « océans de vigne » ? La vocation viticole de Chinon a su rester discrète dans le paysage. Chinon, ville de vin, c'est indéniable. Chaque pierre de tuffeau l'affirme.

Genèse d'un grand vin

Mais d'où vient le breton ?

L'âme de Chinon, ou tout au moins l'âme du Chinon, est un cépage bien connu des Bordelais : le cabernet-franc. On sait que ce plant a des origines girondines, et l'on peut donc s'interroger sur les raisons qui ont pu conduire quelques pieds à s'implanter sur les rives de la Loire. Chinon partage d'ailleurs ce travailleur émigré – comme quoi, certaines délocalisations peuvent être profitables ! – avec ses deux cousins que sont Bourgueil et Saumur, formant un triangle rouge assez réduit géographiquement. Cette implantation est l'objet de sérieuses controverses, surtout à propos du nom de « breton » que prend ici notre cabernet. Chacun sait pourtant que le pays bigouden n'a jamais été réputé pour ses productions viticoles ! Alors, pourquoi le cabernet-franc et pourquoi ce nom ? Dans un précédent ouvrage de cette collection, consacré au Muscadet, j'évoquais déjà le breton. Je m'étais d'abord dit que, dans son implantation ligérienne, le cabernet-franc avait dû en toute logique transiter par Nantes, et que cette étape obligée lui avait valu ce surnom. En reprenant ce passage du manuscrit avec le directeur de la collection, Bernard Ginestet, et au vu de nombreuses références, nous avions finalement attribué à l'abbé Breton l'introduction du cabernet-franc en Val de Loire. Il est indéniable que cet abbé, intendant du cardinal de Richelieu qui sévit beaucoup autour de Chinon – et pas toujours à bon escient, nous allons le voir –, développa pour son maître quelques cultures viticoles. Il ne se priva pas de réunir pour celui-ci des cépages « exotiques » en ces lieux. Le fait que Richelieu ait également fait l'emplette de la seigneurie de Fronsac semblait accréditer cette thèse. Il reste toutefois, je le remarque humblement, que Rabelais, encore lui, mentionne dans ses écrits « le bon vin breton, qui poinct ne croist en Bretagne, mais en ce bon pays de Véron ». Un siècle trop tôt pour notre abbé ! Il faut donc aller chercher ailleurs la vérité. Les plus grands spécialistes restent ici fort circonspects. On sait que Geoffroy le Bel, ancêtre de Henri II Plantagenêt, faisait déjà cultiver pour son compte « le plant de Bordeaux ». Mais la première mention du mot « breton » en Val de Loire est celle de Rabelais, au milieu du XVIe siècle. On peut donc estimer que le breton n'est pas beaucoup plus ancien en Chinonais. Roger Dion, dans *Histoire de la vigne et du vin en France*, avance une idée intéressante. L'usage voulait en effet au Moyen Age que l'on désigne les produits de culture ou d'industrie du nom du lieu où l'on en faisait le plus facilement commerce. Or, dès cette époque, les relations commerciales entre la Gironde et l'Armorique étaient déjà fort développées. Il serait donc logique que l'introduction du cabernet-franc en Val de Loire ait suivi un début de succès commercial en Bretagne. Roger Dion pousse son raisonnement plus loin en précisant que, si le nom de « breton » est contemporain de Rabelais en Val de Loire, il est prouvé que des cépages girondins avaient été introduits en Anjou dès le XIe siècle. Il pense même que leur apparition en Touraine a pu intervenir dès l'Antiquité, au moment de la création du vignoble. On remarque en effet que, fortes de leur position centrale, la Loire, et tout particulièrement la Touraine, ont profité d'apports est-ouest dès les premiers siècles de notre ère. Cela expliquerait les noms de « breton », que l'on trouve en Touraine, et « d'auvernat », rencontré en Orléanais. Il est clair que les relations fluviales depuis la Bretagne jusqu'au Massif central remontent à très longtemps. Pour s'en convaincre, il faut noter que des fouilles gallo-romaines, entreprises à Tours au XIXe siècle, permirent de trouver des meules en granit breton aux côtés d'autres meules en lave d'Auvergne.

Pour revenir au breton et à ses origines, d'autres avancent une possible influence d'Henri II Plantagenêt ou tout au moins de son épouse, Aliénor d'Aquitaine, qui aurait pu chercher à retrouver sur les rives de Loire les arômes de ses vins bordelais. Plus sérieusement, Jean Méré, rabelaisien érudit devant l'Eternel, propose une version séduisante. L'abbé Breton avait en effet eu une sorte de prédécesseur en la personne du seigneur Le Breton. Il ne semble pas qu'il y ait de lien familial entre les deux, mais cet homme

▲ *Chinon : éternelle renaissance d'un passé et d'un paysage recomposés.*

fut intendant des finances et des travaux de François Ier. A ce titre, il surveilla la construction de Chambord et « réceptionna » les travaux de Villandry. Notre homme s'intéressa aussi aux vignobles et développa considérablement les plantations aux alentours des demeures royales. De là à penser qu'il ait pu donner son nom au cabernet-franc, il n'y a qu'un pas, que Jean Méré franchit avec malice, heureux que ce Breton-là soit contemporain de Rabelais et n'ait pas vu le jour trop tard !

Le décor planté, on peut donc estimer que la véritable histoire du Chinon moderne débute à cette époque. Curieusement, c'est aussi à ce moment que le Chinonais, au faîte de sa gloire, se laisse lentement glisser dans une douce léthargie d'où il ne sortira qu'à l'aube des années soixante. Au cours de cette période, le breton se fait une place de choix dans le vignoble, prenant lentement le pas sur le chenin. Ce dernier passera très près de la disparition définitive après le phylloxéra, mais conservera quelques inconditionnels. En hommage à sa contribution à l'histoire viticole locale, on offrira au « pineau de Loire » un strapontin dans le décret de l'appellation Chinon. Pour être tout à fait complet sur les cépages chinonais, il faut également dire un mot sur ce cousin du breton : le cabernet-sauvignon. Très prisé sur la planète pour la production de vins rouges friands, racés et agréables, il connut une soudaine vogue à Chinon dans les années soixante-dix. Quelques spécialistes font alors l'éloge de ce cépage, certes plus fragile et plus sensible aux maladies que le breton, mais aussi moins gélif. On lui reconnaît alors de grandes vertus de « vin médecin » pour les cuvées mal réussies. Tout le monde se met à en faire l'expérience et, à l'aube des années quatre-vingt, il faut trancher. Avec le louable souci de préserver le caractère original et la noblesse du Chinon, le Syndicat des vins décide sagement de cantonner le cabernet-sauvignon au rôle de « cépage accessoire », limité par décret à un maximum de 10 % des surfaces par exploitation. De fait, le cabernet-sauvignon sort alors du rang... de vigne. Si beaucoup en ont conservé, il ne représente plus aujourd'hui que 1 % des surfaces chinonaises.

Chinon capitale

Au début du xve siècle, Chinon est au centre de l'actualité inter-nationale. Sa renommée a commencé à poindre au xiie siècle avec Henri II Plantagenêt, le duc d'Anjou, qu'un hasard de lignée installe sur le trône d'Angleterre. Ses terres s'étendent jusqu'en Touraine et notre homme, séduit par le site de Chinon et sa position géogra-phique, décide d'agrandir le château en construisant le fort Saint-Georges. C'est un certain Thibault le Tricheur, comte de Blois et seigneur de Chinon, qui a fait reconstruire le château au xe siècle. La ville a connu, quelques siècles auparavant, des heures assez chaudes avec le siège des troupes romaines du général Œgidius Afranius en 462. Ce dernier parvient à couper l'approvisionnement en eau de la place forte, dans laquelle les habitants des environs se sont réfugiés. L'ermite Mexme figure parmi les assiégés. Formé par les moines de Marmoutiers aux préceptes de saint Martin, et ayant fondé une petite communauté à Chinon, il passe une nuit en prières et demande à chacun de rassembler des récipients. Dieu exauce le futur saint et provoque un orage torrentiel qui abreuve les assiégés et fait fuir les Romains terrifiés. Une légende affirme que saint Martin, rencontrant un jour saint Mexme, lui demanda de l'accompagner à Rome. Mexme lui répondit qu'il préférait terminer auparavant les travaux de son monastère de Chinon. C'est alors que la barque de saint Mexme se retourna et que saint Martin, sauvant son disciple des eaux de la Vienne, en profita pour lui imposer une plus grande obéissance. La vie de saint est parfois difficile ! Mais revenons à Henri II. Ce dernier décide de s'installer sur ces rives de la Vienne déjà chargées d'histoire et de finir sa vie dans ce château qu'il aime tant. Chinon vit là son heure anglaise, encore que l'on puisse se demander si ce n'est pas l'Angleterre tout entière qui vit à l'heure chinonaise. L'histoire de la ville rejoint à cette époque celle de la future perfide Albion en accueillant deux de ses figures mythiques : les deux fils d'Henri II. Le premier, Richard Cœur de Lion – Ivanhoé, nous voilà ! –, succède à son père et part en croisade. Chinon reste à l'époque une de ses résidences, au point qu'imitant son papa il vient, selon la légende, y mourir après avoir été blessé au siège de Challus. Si ce n'est lui, c'est donc son frère ! Voilà Jean sans Terre à la tête du royaume d'Angleterre, et du Chinonais. Il séjourne plusieurs fois à Chinon. Mais Philippe Auguste, qui lorgne depuis longtemps les possessions continentales des Plantagenêt, va finir par l'emporter. Au terme d'un an de siège, le château tombe aux mains du roi de France en 1205. Exit les Anglais et les Angevins : le genêt cède la place au lis ! Guillaume le Breton – encore un ! –, qui a fait le récit de la bataille, décrit ainsi le Chinon du XIIIᵉ siècle : « Remplie de richesses et entourée de murailles, la ville de Chinon est en outre embellie par un site agréable entre la rivière et la montagne. La citadelle, établie sur le sommet des rochers qui l'enveloppent de toutes parts, est bordée d'un côté par une vallée située au fond d'un horrible précipice. Par un don de la nature, la pente de la montagne s'élève en droite ligne vers les cieux, en sorte que le château de Chinon se vante de n'être point inférieur à celui de Gaillard – Château-Gaillard sur la Seine, aux Andelys – tant en raison de sa position naturelle et de ses remparts élevés que par le nombre de ses défenseurs et la fertilité de son sol. » La plupart des rois de France qui lui succèdent conservent l'habitude de passer des séjours régu-

liers au bord de la Vienne. Philippe le Bel va même remettre Chinon sous les feux de l'actualité. En 1308, il enferme les dignitaires de l'ordre des Templiers, qui lui font trop d'ombre, dans la tour du Coudray. Ceux-ci restent en captivité à Chinon avant d'être jugés et brûlés. Ils laissent sur les murs d'émouvants graffitis, beaucoup plus pathétiques que les « à Ginette pour la vie » inévitablement gravés par les visiteurs actuels dans le tendre tuffeau. Poursuivant dans le même registre, le fils de Philippe le Bel, Philippe V le Long, fait arrêter dans la région de Chinon cent soixante Juifs qu'il accuse d'avoir empoisonné les puits de la ville, et les fait brûler. Il est clair que tout cela n'est qu'un sordide prétexte – comme papa avec les Templiers – pour faire main basse sur leurs biens. Les choses se calment un temps. Arrive Charles VII. Contraint de fuir Paris, le fils de Charles VI, qui n'est encore que dauphin du royaume, se réfugie à Chinon en 1418. Pendant une dizaine d'années, notre homme se laisse vivre à l'abri des hautes murailles. Son royaume s'est réduit comme une peau de chagrin : les Anglais sont au nord et les Bourguignons à l'est. C'est alors que survient la jeune Lorraine. Chacun connaît l'histoire de Jeanne, née à Domrémy. Elle entend à 13 ans des voix célestes qui lui enjoignent de bouter « l'Anglois » hors de France. En six jours, elle rejoint la Touraine et se présente à Chinon. Bel exploit pour l'époque, la vitesse n'est pas encore limitée mais les autoroutes ne seront construites que bien plus tard ! Sa rencontre

▲ *Frontispice de la maison d'un « bâtisseur de cathédrale ».*

avec le « gentil Dauphin » est restée légendaire. Ce dernier, pour la mettre à l'épreuve, se déguise et échange son costume avec un courtisan. Jeanne le reconnaît pourtant aussitôt. Elle aussi sera hébergée à la tour du Coudray. On ne peut s'empêcher d'insister sur le fait qu'il n'était pas très sûr de séjourner dans cette fameuse tour. Non seulement l'ambiance devait manquer de chaleur, mais de plus un très grand nombre de ses « locataires » ont fini sur un bûcher ! On peut penser ce que l'on veut de la personnalité de la Pucelle d'Orléans et de l'aide céleste qu'elle a pu recevoir ; il reste pourtant qu'elle va avoir sur Charles une influence fondamentale. Elle le convainc en effet de voler au secours d'Orléans puis de se faire sacrer à Reims. Pour le timide Charles VII, cette rencontre est une révélation et va lui permettre de s'affirmer comme un roi plus que respectable. Alors que son territoire s'est considérablement étendu, il garde une profonde affection pour Chinon dont il fait sa résidence favorite et le siège du gouvernement. Installé au château, il va même jusqu'à faire construire le manoir Robereau pour sa favorite, Agnès

▲ *La tour de Coudray est une vieille coquette un peu grassouillette.*

Sorel, tout en prévoyant un souterrain secret entre les deux édifices afin de pouvoir rejoindre sa belle. Cette époque marque la gloire de Chinon, capitale reconnue d'un royaume restauré. Mais cette position enviée, qui rejaillit bien entendu sur les vins locaux, ne va pas durer.

Les successeurs de Charles VII conservent en effet Chinon parmi leurs résidences et viennent y passer quelques jours. Mais l'austère château n'a plus leur préférence. Paris redevient à la mode et les autres châteaux de la Loire commencent à faire de la concurrence à la place forte des rives de la Vienne. Chinon connaîtra un dernier frisson avec l'arrivée de César Borgia, le fils du pape Alexandre IV que Machiavel prendra comme modèle pour *Le Prince*, qui vient y rencontrer en grand appareil le roi Louis XII. Ce dernier a épousé Jeanne de France, mais la mort de Charles VIII laisse planer une grosse incertitude sur l'attitude de sa veuve, Anne de Bretagne, et sur l'avenir de son duché. Louis a donc sollicité du pape l'annulation de son mariage que César vient lui confirmer à Chinon. Il peut ainsi convoler en justes noces avec Anne et assurer définitivement l'entrée de la Bretagne dans le giron français.

Il ne s'agit pourtant là que d'un ultime sursaut. Le château connaît bien quelques retours d'affection militaire lors des guerres de religion, mais pour Chinon le temps est compté. La Renaissance qui s'annonce fait disparaître aux yeux des rois de France les derniers charmes que pouvait entretenir la vieille forteresse. Place au luxe moderne et tapageur des résidences de plaisir. Châteaux certes, forts sûrement pas ! Chinon est vieux, Chinon est démodé, Chinon voit le rêve passer.

Et, comme si cette disgrâce ne suffisait pas, Richelieu, qui a fait tomber le château dans sa vaste escarcelle personnelle, envisage même de le raser. Cette grande bâtisse – 400 mètres de long sur 70 de large ! – coûte en effet très cher à entretenir et n'offre désormais plus aucun intérêt militaire. Pis, elle pourrait servir de place forte en cas de rébellion ! De plus, le cardinal a entrepris de se construire un petit « pied-à-terre » à quelques kilomètres de là, sur la base du château de Richelieu qui l'a vu naître. L'éminence lorgne avec concupiscence ces pierres de tuffeau déjà taillées. Il en soustraira bien quelques-unes, mais le prix de la démolition le fera heureusement reculer. Il édifiera quand même à Richelieu un superbe palais, entouré d'une ville nouvelle digne de recevoir la visite de son souverain. Pour Chinon, la fin est proche. Car, si le cardinal n'a pu mener à terme son projet de démolition, il laisse l'édifice à l'abandon. En 1699, il faudra ainsi détruire, car elle menaçait de s'effondrer sans doute, la grande salle et sa charpente en forme de vaisseau retourné, qui avait accueilli la rencontre de Jeanne d'Arc et du Dauphin. Le seul bâtiment à vaincre le temps sera la tour de

l'horloge, parfaitement conservée aujourd'hui. C'est qu'elle abrite une cloche légendaire, baptisée « Marie-Javelle », installée là en 1399. Une légende tenace met en garde les Chinonais : « Marie-Javelle je m'appelle, celui qui m'a mis m'a bien mis, celui qui m'ostera s'en repentira. » Ainsi prévenus, les habitants prendront grand soin de la cloche et de la tour qui l'abrite. Marie-Javelle continue donc d'égrener les heures chinonaises, aidée désormais par une horloge moderne. Après Richelieu, Chinon défraie la chronique au début du XVIIe siècle en marge de l'affaire des possédées de Loudun. Barré, le curé de Chinon qui a officié à Loudun pour exorciser les religieuses ensorcelées, se met à appliquer à grande échelle le même traitement aux filles de Chinon ; au point que Louis XIII finira par s'en émouvoir. Il faudra pourtant de longues années avant que Barré ne soit stoppé dans sa folie purificatrice et que la ville ne retrouve une certaine quiétude. Côté vins, la gloire internationale de Chinon connaît également une certaine éclipse.

▲ *On m'appelle Marie-Javelle et je suis l'horloge de la tour. Au château de Chinon, aujourd'hui, les roitelets épousent les bergeronnettes.*

L'élan donné par Henri II Plantagenêt, qui a fait servir ses vins de Loire à la cour d'Angleterre et les offre en présent aux puissants, s'est poursuivi avec les rois de France. Mais l'arrivée d'Henri IV a tout remis en cause : en fin politique, le bon roi Henri s'attache à servir des vins d'Ile-de-France afin de s'attirer les sympathies d'une cour déjà très parisienne. Exit Chinon et la Loire sur les tables de la *jet set* de l'époque.

Chinon connaîtra pourtant une nouvelle période de gloire politique, souvent méconnue. En 1940, lors de la débâcle, alors que les armées allemandes prennent Paris, le gouvernement se réfugie à Tours. Dans le désordre général, les ministères investissent les châteaux environnants et les Finances atterrissent à Chinon. Nous sommes le 10 juin. Le 14, chacun doit plier bagages face à l'avance rapide des blindés ennemis. Le Conseil, suivant en cela le chemin inverse de celui du breton, se réfugie à Bordeaux avant de s'établir à Vichy. Cet épisode marque la fin – à ce jour – des exploits de Chinon capitale. Mais on ne peut s'empêcher de penser que, si le gouvernement vaincu avait eu le bon goût de choisir pour siège une région de vignobles plutôt qu'une ville d'eau, le « régime » aurait été plus digeste.

LES BONS ENTONNEURS
RABELAISIENS DE CHINON

1961-1986 | XXV ᵉᵐᵉ ANNIVERSAIRE

CRÉÉ LE 24 AOUT 1961
A L'INSTIGATION DE M ANDRÉ-GEORGES VOISIN
DEPUTE D'INDRE ET LOIRE ET DE TROIS JEUNES VITICULTEURS CHINONAIS
PIERRE COULY GATIEN FERRAND ET LOUIS FAROU
LA CONFRERIE DES ENTONNEURS RABELAISIENS A ÉTÉ PARRAINÉE
LE 3 JUIN 1962 PAR LA CONFRERIE DE LA CHANTEPLEURE DE VOUVRAY
M PIERRE BEAUVILAIN EN FUT LE GRAND MAITRE

FONDATEUR RÉUNIS A L'OCCASION DU XXVᵉ ANNIVERSAIRE
DE LA FONDATION LE GRAND MAITRE PIERRE COULY
LE GRAND CONSEIL DE L'ORDRE ET LES DIGNITAIRES ONT VOULU EN SCELLANT CETTE
PLAQUE AU CŒUR DES CAVES PAINCTES RENDRE HOMMAGE
A FRANÇOIS RABELAIS
HONORER LEURS ANCIENS ET RAPPELER LA MÉMOIRE DES DIGNITAIRES DISPARUS.

MEMBRES FONDATEURS

† MARCEL ANGELLIAUME	PIERRE COULY
GÉRARD ANGELLIAUME	RENÉ COULY GRAND CHANCELIER
MAURICE BAUDRY	† PIERRE CUSSAC GRAND ENTONNEUR
† PIERRE BEAUVILAIN GRAND MAITRE	LOUIS FAROU (PÈRE) GRAND NOURRICIER
† MARCEL BINGLER	LOUIS FAROU (FILS)
† PAUL BOURNIGAULT	GATIEN FERRAND GRAND ARGENTIER
JEAN-PIERRE BOURQUIN	PAUL GUERTIN
† HENRY BROCOURT GRAND TROUVERE	CHARLES JOGUET
GUY CAILLE	YVES MUREAU
ROGER CAQUET	CLAUDE RAIMOND
† MAURICE CONSTANTIN	GASTON ROUZIER

IN MÉMORIAM

† YVES CHARLES	† GABRIEL ROBIN
† FERNAND ROUSSE GRAND PRIEUR	† ROGER CROSNIER
† PIERRE ALLIET	† ISIDORE RAFFAULT

Ripaille et bombance

Rabelais et le vin

Contrairement à ce que ses écrits pourraient laisser croire, il est vraisemblable que François Rabelais n'était peut-être pas le rabelaisien que l'on imagine. Son apparence physique semble prouver que, s'il aimait bien manger et bien boire, ce n'était sûrement pas un homme d'abus. Le visage de Rabelais mérite d'ailleurs un petit aparté. Il n'existe en effet aucun portrait de lui qui ait été exécuté de son vivant. Forts de sa gloire, beaucoup d'artistes se sont penchés sur son cas avec plus ou moins de bonheur et plus ou moins d'imagination. Les spécialistes de Rabelais ont réparti ces portraits en plusieurs familles distinctes. La plus plausible est dite « Montpellier », car Rabelais y est représenté avec la coiffe caractéristique de l'université, et ses traits correspondent assez bien à la description que fit de lui son ami Jean du Bellay. Matisse, qui effectua une esquisse en 1950 pour les amis de Rabelais – elle est conservée à la Devinière –, s'inspira lui de visions plus discutables d'artistes du XIXe qui introduisaient de l'orientalisme partout. Il en résulte un visage méditerranéen et une fine moustache que Maître François n'arbora sans doute jamais. Pour en revenir à la version « Montpellier », on découvre un visage assez mince et allongé, bien éloigné du faciès bouffi que ses géants ont suscité. Si Rabelais était un être avide et assoiffé, ce fut sûrement plus de connaissances et de culture que de nourritures terrestres.

L'analyse attentive de ses romans montre d'ailleurs que Rabelais n'a pas accordé à la bonne chère une place si importante que cela. Guy Demerson dénombre ainsi dans *Gargantua* 50 fois le verbe « manger » et 130 fois « boire », avec un vocabulaire assez peu diversifié. Gabriel Spillebout, dans une communication à l'académie de Touraine en 1988, compte « 21 formes attestées et 129 occurrences pour la nourriture et 18 formes et 132 occurrences pour la boisson », tout en soulignant que *Gargantua* doit regrouper environ 50 000 occurrences au total. Tout cela reste donc dans les limites de la décence. Il n'en demeure pas moins que, pour s'en tenir toujours à *Gargantua*, le livre le plus intéressant dans la stricte optique chinonaise, tous les grands événements de l'ouvrage font systématiquement référence à la nourriture ou à la boisson. L'entrée en matière est éloquente. Tandis que l'on attend la naissance de Gargantua, son père, Grandgousier, réunit tous ses voisins et tue ses bœufs pour les mettre au saloir et en déguster les abats. Le roi de la Devinière, en hôte prévenant, commande « que tout alloist par écuelles ». Pourquoi donc veiller à sa ligne en pareille circonstance ? Rabelais, qui aime la démesure, précise même le nombre de bêtes sacrifiées pour l'occasion : 367 014 bœufs, pas un de moins. De quoi mettre à mal une bonne partie du cheptel européen de l'époque. Le banquet, « gargantuesque » comme il se doit, est arrosé de force vin et le chapitre se termine par ce dialogue :

-- *Mouillons, il fait bon sécher !*
-- *Du blanc, verse tout, verse, de par le diable ! Verse deçà tout plein. La langue me pèle.*
-- *Compagnon, à boire ! A toi, ami, de bon cœur, de bon cœur !*
-- *Là, là, là ! Tout cela est bâfré. O Lacryma Christi ! C'est de la Devinière. C'est du vin de raisins pineaux.*
-- *O le gentil vin blanc ! Sur mon âme, ce n'est que du vin de taffetas.*
-- *Heu ! Heu ! Il est à une oreille, bien drapé et de bonne laine.*

Plus que du vin de Chinon, c'est la propre publicité de la propriété familiale que Rabelais fait ici. On sait en effet que ce vaste domaine comptait, à n'en point douter, une belle surface de vignes et devait avoir à écouler une imposante récolte. L'expression « il est à une oreille » mérite une courte explication. On disait alors d'un vin médiocre qu'il était à deux oreilles, car il faisait pencher la tête de droite et de gauche. A l'opposé, un vin de qualité ne faisait pencher la tête que d'un côté en signe d'assentiment.

La naissance du géant se poursuit sur le même registre. A peine sorti des entrailles de sa maman « par l'aureille sénestre », le bébé s'écrie : « A boire, à boire, à boire », sans à l'évidence réclamer le lait maternel. A 22 mois, Gargantua goûte avec constance la « purée septembrale » : « S'il advenait qu'il fut dépit, courroucé, fâché ou marri, s'il trépignait, s'il pleurait, s'il criait, on lui apportait à boire, l'on le remettait en nature et soudain demeurait coi et joyeux. » Plus efficace que le Théralène ! Cette belle expression, la « purée septembrale », si chère à Rabelais pour désigner le produit de la treille, ne manque pas d'étonner. On pourrait en effet s'interroger sur les dates, sachant qu'il est plus courant à Chinon de récolter en octobre qu'en septembre. Rassurons-nous, les contemporains de Rabelais attendaient déjà que les raisins soient à maturité pour faire les vendanges. Mais ce n'est qu'en 1582 que le pape Grégoire XIII et Henri III décidèrent de rattraper les dix jours de retard que l'année civile possédait alors par rapport au calendrier astrologique. Rabelais, mort en 1553, a donc toujours vu, par la force des choses, les vendanges débuter fin septembre. Au fil du récit, après la description minutieuse de l'enfance et des études de Gargantua, le vin et la nourriture commencent à prendre une place de plus en plus importante. Le fait générateur des guerres picrocholines ? Un problème de fouaces : des pains de farine complète, d'œuf, de

beurre, de safran et de miel, très prisés à l'époque. Les bergers de Grandgousier, qui s'attachent à faire fuir les moineaux des vignes car les vendanges approchent, voient passer les fouaciers de Lerné, la patrie de Picrochole. Ils leur demandent avec envie de leur vendre quelques fouaces car « considérez que c'est une nourriture céleste que de manger à déjeuner de la fouace fraîche, ainsi que des pineaux, des fiers, des muscadeaux, du verjus et des foirards pour ceux qui sont constipés du ventre : ils les font aller long comme un épieu, et souvent, croyant péter, ils se conchient ». On traduit facilement « pineaux » par chenin, et « fiers » – prononcez fiés – par sauvignon. Quant à « muscadeaux », il faut sûrement y voir un muscat : le muscadet n'existe pas encore, puisque son cépage, le melon, n'a alors pas encore quitté la Bourgogne. Les fouaciers refusent et insultent les bergers : le *casus belli* est patent. Voilà comment s'embrase une région. Quelques pages plus tard, alors que les armées de Picrochole remportent victoire sur victoire et sont en passe de prendre Seuilly, quel fait convainc donc Frère Jean de répliquer aux agresseurs ? Que l'on ne s'y trompe pas, notre moine entre en courroux parce que les soldats s'attaquent aux vignes et se préparent à en faire la récolte. Qu'ils mettent la région à sac, passe encore, mais qu'ils la privent de son vin, c'est impensable. Voilà comment on devient résistant ! Il est quand même intéressant de constater que le vin chanté par Rabelais est avant tout celui de la convivialité. Si l'on boit, c'est ensemble et avec un certain cérémonial. On sait qu'au siècle de Rabelais le vin fait déjà partie de la richesse nationale. C'est un produit fondamental de l'alimentation. Mais, plutôt que le gros rouge quotidien, Rabelais met l'accent sur le vin plaisir, donc le vin de qualité. Il faut noter que ce discours est quand même sacrément précurseur au XVIᵉ siècle et ne diffère pas vraiment de celui que l'on

▲ *Gargantua (à gauche) serait content de voir ça (à droite).*

entend aujourd'hui. Pour lui, le vin est aussi synonyme de civilisation et de sagesse. Dans le Tiers Livre, Pantagruel et Panurge cherchent et trouvent le temple de la dive bouteille. Ils y entendent un mot clé : « Trincq ! », dérivé sans doute du *trinken* allemand. La fameuse bouteille devient la source de toute sagesse, de toute éloquence et de toute inspiration. Le médecin Rabelais ne manque pas non plus de se rappeler au bon souvenir du lecteur. En fin thérapeute, il saupoudre son récit des bienfaits curatifs du jus de la treille. Ainsi Frogier, le berger blessé dans *Gargantua*, reçoit un traitement inattendu mais efficace : « Avec de gros raisins de chenin estuvèrent les jambes de Frogier, mignonnement si bien qu'il fust tantôt guerry. » Panurge poursuit dans le même registre pour soigner Epistémon, lequel vient d'être décapité : c'est avec de « l'eau bénite de cave » que la plaie est nettoyée. Je n'encourage toutefois personne à faire l'expérience. Pourtant, et en toute cohérence avec ses principes, Rabelais ne prône pas l'intempérance. Bien sûr, les capacités de Gargantua dépassent largement celles du commun des mortels. Ce n'est pas pour autant qu'il faut abuser, et son fils Pantagruel, pourtant digne héritier de son géant de père, prévient ses compagnons : « Pour être reçu au temple de la dive bouteille il faut que les esprits soient maintenus hors de toute perturbation des sens. »

Alors, « beuvez tousjours, ne mourrez jamais ». Le plaisir, oui, mais gare à ceux qui dépassent les bornes !

« Je scay où est Chinon et la cave paincte... »

Il y a en tout cas des gens qui ont reçu « cinq sur cinq » le discours de François Rabelais : ce sont les Entonneurs Rabelaisiens. S'il y a d'ailleurs une région où les confréries devaient exister, on se doute bien que c'est le Chinonais. La doctrine rabelaisienne s'accorde à ravir avec le gentil grain de folie nécessaire pour se déguiser avec une longue robe et célébrer le culte de Bacchus !

Et pourtant, il fallut attendre bien longtemps avant que les Chinonais ne se décident à franchir le pas, puisque leur confrérie ne fut créée qu'en 1961. Victimes, pour une fois, de la douceur tourangelle, nos amis s'étaient fait prendre de vitesse par bien d'autres régions moins noblement pourvues. Mais, comme on dit, rien ne sert de courir et, profitant d'un millésime prometteur, trois jeunes vignerons décidèrent le 8 juin 1961 la création de la confrérie des Bons Entonneurs Rabelaisiens de Chinon. Pour la petite histoire, ces trois compères allaient faire du chemin : il s'agissait de Pierre Couly, Louis Farou et Gatien Ferrand, aidés par leur député André Voisin. Ce sont les voisins de Vouvray, les Chevaliers de la Chantepleure et leur inénarrable Grand Maître, Gaston Huet, qui servirent de parrains à la jeune assemblée. Inutile de préciser que, ce jour-là, le

*Aux « Caves Painctes »,
la liturgie de la dive
bouteille est une grand-
messe dite à Rabelais.*

Vouvray et le Chinon remplacèrent la traditionnelle eau bénite. La première grande intelligence des Entonneurs Rabelaisiens fut de se doter d'un cérémonial aussi rigoureux que décontracté et surtout clamé en « vieux françois ». « Une grand-messe dite à François Rabelais » précise avec poésie Jean Chédaille, ancien grand reporter à *La Nouvelle République* et tout aussi grand Entonneur, dans la plaquette de présentation de la confrérie.

« Messieurs les beuveurs, honorables dames et gentes damoiselles. Ce jour de Corpus Christi 199..., la confrérie des Entonneurs Rabelaisiens déclare ouvert son chapitre en ce vray pays de Rabelais qui le vit naistre. Et dit qu'avant l'extraordinaire repaisaille digne des grands gousiers, de bons amis beuveurs entreront en grande pompe et honneurs, comme Chevaliers après bonne et valable épreuve à dire et à voir, comme fust célèbre Gargantua, en bon vin breton, qui ne croist en Bretagne mais en ce bon pays de Véron, Cravant, Panzoult, Ligré, Beaumont et aultres lieux du pays de Chinon... » C'est ainsi que le Grand Maître accueille ses hôtes.

Le Grand Argentier puis le Grand Échanson prennent le relais, avant que le Grand Trouvère – au pays de Gargantua, tout est grand, c'est normal – ne fasse prêter serment aux impétrants :

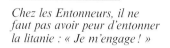

Chez les Entonneurs, il ne faut pas avoir peur d'entonner la litanie : « Je m'engage ! »

« O frères, amys du vin, cet élixir divin,
que chacun se réveille avant le grand serment !
Messires, par ma bouche, c'est Rabelais qui vous demande
engagement et qui vous dit :

Et maintenant, mon frère,
Écoute l'enseignement de François Rabelais
Erudit, philosophe, enfant du Chinonais :

Ses joviales chroniques cachent des vérités,
Et il faut rompre l'os pour bien sucer la moelle
Ecoute sa doctrine et médite son œuvre.

Comme lui, librement, aime tout de la vie
Laisse épanouir ton corps et fleurir ton esprit
Sois encore sincère comme fut Grandgousier.

Prodigieux d'entendement comme était Gargantua,
Sois tolérant, enfin, comme Pantagruel.
Et maintenant, ô frère, dis-moi que tu t'engages.   *-- Je m'engage !*

Dis-nous bien ô mon frère qu'en ces lieux tu t'engages
A vanter en tous temps les bienfaits du Chinon.   *-- Je m'engage !*

Et t'engages à défendre purée septembrale
Contre tous hypocrites, marmitteux et cagots.   *-- Je m'engage !*

Puis que tu t'engages contre ces mécréants
Qui appellent breton cette vinasse affreuse.   *-- Je m'engage !*

Que tu t'engages aussi à lutter contre ceux
Qui maltraitent le vin en ajoutant de l'eau.   *-- Je m'engage !*

Que tu t'engages encore à forcer tes amis
A verser du Chinon à chaque repas fin.   *-- Je m'engage !*

Que tu t'engages enfin à renier tous ces gens
Ivrognes insolents qui boivent sans raison.   *-- Je m'engage ! »*

Pour cette cérémonie, les impétrants sont regroupés sur la scène, derrière une grande table dont la ressemblance avec un autel n'est pas fortuite. Un dignitaire de la confrérie se tient derrière chacun d'eux et leur pose une robe sur les épaules, avant de leur nouer un bavoir autour du cou. Cette délicate attention vient rappeler que le Chinon est un vin d'un rouge profond qui s'accorde parfois mal avec la blancheur des chemises. Il faut à cet instant parler des verres. Car au terme de ce serment, dont on constate la profondeur et l'implication qu'il suppose, le Grand Échanson invite les candidats à vider leur verre. Ceux-ci sont loin d'être les moins rabelaisiens de l'affaire : il s'agit de superbes et immenses verres à pied dont la contenance doit être le triple de celle d'un récipient habituel. Or la coutume et les usages de l'Ordre précisent que cette épreuve consiste à vider complètement son verre, sous le contrôle de la foule. Cette épreuve intervenant avant le repas, dont vous allez mesurer la dimension, je ne saurais trop conseiller aux candidats de prévoir un hébergement sur place !

Ce qui peut différencier les Entonneurs Rabelaisiens d'autres confréries, c'est tout d'abord leur grand sérieux décontracté. A l'image du vin de Chinon, les choses se font ici selon les règles, dans une ambiance détendue mais avec un cérémonial où chaque détail est minutieusement programmé. Pas de risque ici de rouler sous la table à la fin du repas : on célèbre, comme Rabelais, le culte de la convivialité et, disons-le, d'une certaine forme de partage, de bons moments. L'autre intelligence des Entonneurs est de s'être posés très tôt comme une formidable machine à communiquer. Chaque vigneron est prêt à le souligner : la confrérie est un élément fondamental de la promotion du Chinon. D'ailleurs, les intronisations ressemblent plus à ces baptêmes en piscine, où de larges assemblées reçoivent un sacrement collectif, qu'à un adoubement individuel comme tant d'autres ordres vineux les pratiquent. A ce titre, les Entonneurs Rabelaisiens doivent détenir haut la main le ruban bleu du nombre annuel d'intronisés : soixante-dix chapitres et douze cents personnes par millésime ! Qui dit mieux ? Quand on se veut gargantuesque, on l'est jusqu'au bout. Et sans misogynie, puisque les femmes sont ici admises au même titre que les hommes. L'Ordre a aussi réussi l'incroyable pari de faire de cette cérémonie un *must* prisé par tous les grands de ce monde. La liste des « confrères » Entonneurs fait tourner la tête : Liz Taylor y côtoie Pierre Salinger, Bernard Hinault, Michel Jazy, le professeur Cabrol, Alexandre Lagoya, Simone Veil, Gérard Depardieu ou Antoine Blondin... Et, quand on demande au Grand Maître, Pierre Couly, comment il a bien pu convaincre la Canadienne Fabienne Thibeault de présider le Chapitre de la Quinte Essence 1995 – une « petite » soirée de « seulement » deux cents personnes ! –, il répond, avec une désarmante sincérité : « En lui posant la question. » Comment résister en effet à une telle foi ? La confrérie ne manque pas de faire état régulièrement de la remarque de Bernard Hinault lors de son intronisation : « De toutes les cérémonies que j'ai vécues, c'est assurément celle des Bons Entonneurs Rabelaisiens qui m'a le plus conquis. Peut-être la seule qui m'ait vraiment ému, tant le message qu'elle délivre est intelligent. » Je reconnais humblement m'être dit *in petto*, en entendant cette référence, quelques minutes avant de subir à mon tour la redoutable épreuve du verre, que les champions cyclistes savaient eux aussi faire preuve de diplomatie vis-à-vis de leurs hôtes. Et je dois avouer qu'au terme de la soirée ma perception avait un peu évolué et que je ne suis pas loin de partager l'avis de cet autre « grand Bernard ». Mais il est un dernier trait de génie, le plus illustre et le plus emblématique, c'est d'avoir choisi pour siège de la confrérie les fameuses Caves Painctes de Chinon. Ce lieu en effet, outre sa taille et sa situation en plein centre de la ville, figure en bonne place parmi les sites rabelaisiens. Rabelais le précise dans *Pantagruel* : « Je scay où est Chinon et la cave paincte aussi, j'y ay bu maints verres de vins frais. » A ce titre, les Caves Painctes apparaissent comme un lieu de légende que les Entonneurs ont su préserver. Elles se trouvent sous le fort Saint-Georges et l'on peut y accéder par la fameuse rue Haute-Saint-Maurice en plein centre de la ville. La confrérie y a petit à petit aménagé ses quartiers : une grande salle creusée dans le tuffeau peut y accueillir trois cents convives, avec la scène nécessaire aux intronisations et toutes les commodités indispensables pour les traiteurs. Mieux, à l'occasion de l'année Rabelais en 1994, un artiste local y a exposé d'impressionnantes compositions suspendues faites de milliers de bouteilles vides. Au terme de l'exposition, les mobiles ont été conservés et disposés pour ne pas gêner l'utilisation du lieu, permettant aux premières salles de la cave de devenir un véritable « Temple de la dive bouteille », lieu empreint de poésie et de magie vineuses, que Maître François n'aurait pas renié.

Au fil de l'année, les cérémonies se succèdent dans ce lieu magique. Cinq chapitres « officiels » ponctuent la saison et la maturation du raisin : Chapitre de la Saint-Vincent en janvier, Chapitre de la Quinte Essence à l'amorce du printemps, Chapitre de la Fleur en juin, l'inévitable Chapitre des Vendanges en septembre et le Chapitre de Diane en décembre. Tout commence par l'accueil du Grand Maître, Pierre Couly, qui compose pour chaque occasion un discours teinté d'humour et de bonne humeur afin d'accueillir et de présenter les impétrants. Suit l'apéritif ponctué de rillons et de petits boudins chauds, avant que les convives ne prennent place à table. C'est l'heure du chapitre en lui-même. La soirée ne fait alors que commencer, et le repas qui suit est bien digne de Pantagruel. Un exemple parmi d'autres :

– L'amusement de gouzier est là pour vous mettre en bouche. Rien de tel qu'une petite terrine de canard.
– Prime assiette. Il faut bien une entrée !
– Seconde assiette. Elle pourrait constituer, dans d'autres circonstances, un plat principal.
– Tierce assiette. Voilà la viande pour mettre en valeur un beau Chinon.
– Quarte assiette. Vous prendrez bien un peu de salade ?
– Yssue de table. A quelques kilomètres de Sainte-Maure-de-Touraine, il serait indécent de ne pas faire honneur aux fromages locaux, avant de conclure par quelques « pourlescheries » sucrées.

Le menu s'achève, comme il se doit en Rabelaisie, par cette jolie formule : « Et afin de stimuler vos sucs stomachaulx, boirez finalement une tizane noire et une pissée d'Eau Ardente. » Comprenez : café et pousse-café. Il est clair que les Entonneurs ont bien retenu la leçon de François Rabelais écrivain, mais qu'ils savent aussi suivre les préceptes du médecin. Inutile de préciser que ces plats sont arrosés de vins de Chinon spécialement choisis pour la finesse de leur accord. Le repas n'est pourtant pas, loin s'en faut, la seule attraction de la soirée. Jean Méré et son groupe de vignerons chantants s'y entendent pour ponctuer les plats d'interventions aussi sympathiques que professionnelles : difficile de résister longtemps à cette ambiance bon enfant. L'assistance reprend vite en chœur tous les classiques du genre au rythme des cuivres et de l'accordéon.

Outre ces cinq grandes occasions, la confrérie a su devenir un moment incontournable de toute visite en Chinonais. Une large part de son succès réside dans le fait que ces baptêmes collectifs sont désormais devenus un véritable produit touristique fort prisé des groupes en visite dans la région. C'est cela qui explique l'incroyable nombre annuel d'intronisés, « vaccinés » pour la vie à la bonne « purée septembrale » chinonaise. Malgré cette industrialisation d'un concept fort, nos Entonneurs savent toujours conserver l'esprit de naturel et de foi qui fait leur charme. Sans jamais vendre leur âme, ils donnent avec humilité une vraie leçon de savoir bien vivre. Et, après tout, le *Requiem* de Mozart est aussi une œuvre de commande...

Mozart, oui, mais il y a aussi Jean Méré et son accordéon.

La demi-heure rabelaisienne

En abordant le Chinonais, on note immédiatement un certain décalage entre l'image d'Epinal du rabelaisien et les habitants de la région. Comme Rabelais, les Chinonais ne sont pas particulièrement grands ni gros, c'est une évidence. Ils revendiquent pourtant haut et fort leur identité et l'héritage de Rabelais. Ce qui frappe avant tout, c'est une sympathique décontraction. Pourquoi s'énerver dans la douce ambiance ligérienne ? Le temps ici semble prendre son temps et Marie-Javelle doit égrener les heures un peu plus lentement qu'une horloge atomique. Mais, après tout, comment pourrait-il en être autrement dans un vignoble où l'on sait que le vin devra dans la plupart des cas attendre de longues années dans la pénombre du tuffeau avant d'atteindre sa plénitude ? On connaît sous toutes les latitudes le « quart d'heure » qui permet aux invités d'arriver en retard la tête haute. A Chinon, deux phénomènes amplifient la question : la démesure si chère à Rabelais et la nonchalance sympathique des habitants. Voilà comment le « quart d'heure » universel devient ici « la demi-heure rabelaisienne ». Pour l'avoir vécu, je peux témoigner que l'on prend cette fameuse demi-heure de retard dès l'arrivée à Chinon et qu'il est impossible de la rattraper durant tout le séjour. Il ne faut pas aller contre la nature ! C'est peut-être l'harmonie ambiante qui imprègne les caractères. Au même titre que le climat local est un chef-d'œuvre d'équilibre, les Chinonais prennent le temps de savourer la vie. Comme dans toute la vallée de la Loire, le sens de l'accueil n'est pas ici un vain mot. Il est facile d'entrer dans une cave et tout aussi facile de rencontrer le vigneron. La quasi-absence d'un négoce de place a obligé très tôt les propriétaires à vendre leur vin par leurs propres moyens, tandis que l'attrait touristique de la région leur apportait sur un plateau une clientèle en or. On peut pourtant être frappé par une constante réserve à chaque nouvelle rencontre. A l'image de leur vin, qui ne s'exprime pleinement qu'après une bonne aération, les minutes initiales sont très souvent teintées d'une légère tension avant que les visages – et les bouteilles – ne s'ouvrent définitivement. Mais, ces premiers instants passés, attention ! Le Chinon fournit aux caves de tuffeau un redoutable chauffage d'appoint qui fait oublier le temps qui passe et l'humidité du lieu. L'habitude ici étant de vinifier séparément les clos ou les vieilles vignes, on ne visite pas une cave sans avoir à goûter un assortiment de cinq ou six vins au minimum. Sans compter quelques millésimes que chaque vigneron ne manque pas de conserver à son tarif, ou, dans le pire des cas, dans sa cave, pour le simple plaisir de la dégustation conviviale. Que les dames se rassurent, nos hôtes savent bien recevoir, et, pour aider la voiture à retrouver son chemin le coffre plein, ils savent ponctuer la dégustation de respirations. La terrine de rillettes et le pain frais ne sont jamais loin. « Mangez un peu, nous finirons la dégustation plus tard. » Et même si l'on sort d'un déjeuner gastronomique, on avale quelques tartines, comme si l'on avait faim, et on reprend le cœur léger – à défaut de l'estomac – le tour des vins de la propriété. Après tout, Chinon n'a jamais prétendu être un centre de thalassothérapie. Pourtant, j'atteste que la remise en forme est aussi efficace en ces lieux qu'avec une cure de salade et de légumes bouillis.

On est également impressionné par le respect mutuel et l'ambiance générale qui règnent ici entre les professionnels de la vigne. Loin des grands débats qui agitent bien d'autres vignobles, le Chinonais arbore une philosophie de la vie et une force tranquille héritées de Rabelais. Individualistes, sans doute, les vignerons chinonais sont fiers de leur vin, de leur cuverie, de leur cave. Ici, selon une tradition tenace en Val de Loire, les coopératives ne sont pas une forme naturelle de fonctionnement. Rompus depuis longtemps à la vente directe – héritée de cette époque récente où le Chinon avait encore tout à prouver –, les Chinonais se sont émus récemment des difficultés de commercialisation de l'heure. Courageusement, ils ont entrepris de monter une SICA. Lancée au début des années quatre-vingt-dix, au pire de la crise viticole et des effets du gel, celle-ci se développe doucement. Il est vrai que l'association de l'un des vins les plus nobles de France avec ce principe « collectiviste » relève du mariage de la carpe et du lapin. Elle propose aujourd'hui les vins d'une centaine de vignerons et aide à réguler le marché, faisant ainsi la preuve du solide bon sens local. On peut les compter sur les doigts d'une main, pourtant les négociants locaux eurent une influence fondamentale pour la renaissance commerciale de l'appellation. Chacun souligne sans détour le rôle bénéfique du « pape » du Chinon, la maison Couly-Dutheil. Bien sûr, on ne manque pas de rappeler que « les Couly » ne sont pas issus de Chinon mais de Corrèze. Cela dit, l'intégration ligérienne de la famille est des plus

réussies. Et le discours se poursuit invariablement sur les bienfaits apportés à l'appellation par ces émigrés de luxe. Ils furent sans doute parmi les premiers à croire au développement du Chinon et à porter haut sa bannière dans toutes les foires du pays. On leur doit aussi le renouveau viticole de certaines propriétés mythiques, comme l'Echo. Négociants, certes, mais vignerons avant tout, ils ont tracé une voie qualitative dans laquelle tous les producteurs ont pu s'engager.

Les vignerons chinonais ont également une foi et un respect du vin étonnants. C'est sans doute ce qui a pu faire émerger le vignoble de sa torpeur après la Seconde Guerre mondiale. Jusque-là, la polyculture était le lot commun. Et les surfaces viticoles étaient des plus réduites. Pourtant, les Chinonais conservaient un respect sans borne pour le « beurton ». Leur convivialité n'a pas manqué de leur sauver la mise. Habitués à se rencontrer régulièrement hors de leurs caves – à la chasse ou à la pêche, notamment –, les vignerons ont vite pris l'habitude d'échanger leurs idées ou leurs trouvailles sur la vinification. Personne n'aurait manqué les rendez-vous du jeudi dans les « cabanes » de chasse en forêt. Les jeunes ont maintenant perdu cette habitude, mais il y a fort à parier que, si le Chinon était né hors des contrées giboyeuses du jardin de la France, nul n'en entendrait plus parler aujourd'hui, si ce n'est quelques érudits nostalgiques. Cette tradition d'échange s'est perpétuée sous une forme plus classique. Il est fréquent aujourd'hui que les Chinonais se réunissent dans une cave pour en faire le tour et noter en toute amitié les cuvées du maître des lieux ; lequel ne se lasse d'ailleurs pas de déboucher les bouteilles et de solliciter l'avis de ses confrères sur tel millésime, tel clos ou tel essai.

Toutes ces caractéristiques font des hommes – et des femmes – de Chinon des personnages attachants, qui savent sûrement plus que tout autre fidéliser leur clientèle. On dit souvent que, lorsqu'un client trouve son bonheur dans une cave, il reviendra toujours. C'est sans doute vrai car les gens d'ici ont su préserver le sens du contact et de l'accueil qui donne à un vin de propriété le vrai goût et l'accent de son terroir natal.

Menus et charte des piots

Je l'ai dit, difficile d'attribuer de visu aux Chinonais leur origine géographique. Est-ce à dire qu'ils ne mangent pas ? La réalité est un peu différente. En bons rabelaisiens, nos amis ont compris que leur maître à penser faisait l'éloge du « bon » et non du « trop ». Épicuriens, sans aucun doute, mais sans ostentation. Et, comme dans toutes leurs actions, la recherche de l'équilibre domine. Je ne me souviens pas avoir quitté une table ici en me disant avoir abusé. Le menu fait parfois un peu peur. Mais, comme Rabelais qui nous

parle de géants et fait tout pour nous les rendre sympathiques, on comprend vite à table que les intentions du cuisinier étaient plus louables qu'elles ne pouvaient le sembler à première vue. En certaines occasions, les Chinonais savent toutefois se surpasser, et l'on raconte à qui veut l'entendre que, lors de l'installation en grande pompe de la statue de Rabelais sur le quai de la ville au début du siècle, le repas dura vingt-quatre heures! A bon Entonneur...

Parler de gastronomie en Chinonais n'est pas un vain mot. Les richesses locales sont si nombreuses que l'on ne saurait en faire le recensement exhaustif. Bien sûr, la mer est un peu loin, mais qu'apporterait-elle de plus dans cette région bénie des dieux? Le surnom de « jardin de la France » attribué à la Touraine est loin d'être usurpé. Où trouver, dans une région de taille aussi réduite, autant de matières premières de qualité? Les rivières regorgent de poissons, même si le saumon a presque aujourd'hui déserté la Loire. Dire qu'au début du siècle les employés exigeaient par contrat, comme en Ecosse, de ne pas avoir à en manger plus de deux fois par semaine! On retrouve donc souvent sur les tables saumons, tanches, brochets, aloses, perches et sandres..., pour accompagner à merveille un Chinon blanc de l'année ou un Chinon rouge de Pâques. Le gibier est sans aucun doute la seconde richesse locale. Les forêts sont nombreuses – celle de Chinon au nord-est de la ville couvre une surface proche de celle de l'appellation – et très courues par les chasseurs. L'élevage n'est pas oublié, avec, pour

▲ *Les cuisines du Plaisir Gourmand, avec les poissons du cru, bien-sûr.*

les bovins, une variété certaine. Il n'est pas rare de voir se côtoyer dans les prairies environnantes des charolaises et des limousines. Chaque race est arrivée de son côté, elles ont opéré leur jonction dans ce pays de cocagne. Il est vrai que la vigueur d'un Chinon de quelques années trouve dans la viande rouge un compagnon de choix. Il ne faudrait pas omettre les cochonnailles. Perdant presque leur sens de l'humour, les Chinonais – et les Tourangeaux avec eux – revendiquent haut et fort la paternité des rillettes. Les Sarthois ne sont que des usurpateurs. On rencontre ces terrines à chaque occasion, aussi rudes, brutes et savoureuses qu'un Chinon, avec lequel elles réalisent un accord remarquable. N'oublions pas les rillons – que les voisins d'Anjou nomment « rillauds » –, ces dés de poitrine de porc qui n'ont pas vu la fourchette, et dont les morceaux sont restés grossiers. C'est chaud, c'est gras, on se dit que ça va être écœurant et c'est grandiose. Tout cela constitue la base d'un bon « mangement », terme typiquement local qui désigne une ripaille entre amis à mi-chemin entre l'en-cas et le vrai repas. Restent les cultures. La tradition locale de polyculture n'est pas un vain mot. On sait par exemple que les asperges firent longtemps de l'ombre au vin au hit-parade des produits locaux. Quant aux champignons, ils trouvent ici, dans les sous-bois ou à l'abri d'une cave de tuffeau, un terrain d'expression à leur mesure. La douceur du climat local se prête à bien des excentricités, sans compter que les plus fameux fromages de Touraine ne sont pas loin : le sainte-maure sait à merveille se faire l'allié d'un Chinon, qu'il soit rouge ou blanc. La dernière trouvaille en date des amateurs de bonne chère chinonaise est plus inattendue. Il s'agit en effet de confiture.

La confiture de vin est une autre doulce saveur de Chinon.▶

Au début des années 90, un certain Claude Fleurisson a eu l'idée de fabriquer de la confiture de... vin. Le projet a fait son chemin, séduisant sans peine tous les gastronomes chinonais. La production s'est vite développée et l'on trouve aujourd'hui un peu partout – même à Paris et à l'étranger – ces petits pots de confiture de vin de Chinon rouge, rosé ou blanc. La trouvaille est gustativement intéressante et fait découvrir aux tartines des horizons insoupçonnés. Mais les amateurs soulignent bien vite que le vrai registre de cette invention est l'utilisation en cuisine : sur les desserts pour la confiture de Chinon blanc, tandis que la confiture de Chinon rouge fournit une base de sauce remarquable pour les plats de viande.

Les restaurateurs locaux ont en tout cas bien compris le parti qu'ils pouvaient tirer d'un aussi beau vignoble. Ils savent mettre en avant le fruit du labeur des vignerons. Le mettre en avant et le mettre en valeur. Il est vrai que les beaux vins abondent par ici, et dans tous les genres : du gentil Chinon blanc sec, agréable à l'apéritif ou sur un poisson, au robuste Chinon de quelques années, en passant par un rouge de graves, jeune et fringant, ou même un rosé, qui tous deux se montreront de gais compagnons pour une assiette de charcuterie ou quelques crudités. Il faut noter, en abordant le chapitre culinaire, que le Chinon, du fait sans doute de sa robuste structure, est l'un des rares vins rouges à conserver sa couleur dans

▲ *Chinon vous en fera boire de toutes les couleurs...*
... et l'asperge est un autre fleuron culturel, en pointe. ▶

une sauce. Cela explique pour une part le franc succès qu'il peut rencontrer auprès des plus grands restaurateurs. Sans prétendre à l'exhaustivité parmi les chefs chinonais, on peut citer « Le Plaisir Gourmand » à Chinon, au pied du château où Jean-Pierre Rigollet sait rallier tous les suffrages. Beaucoup affirment qu'il possède aujourd'hui la meilleure table de la région, et que ses prix ont su rester sages. A quelques centaines de mètres, en remontant dans la vieille ville, « L'Orangeraie » constitue un autre bon exemple de cuisine locale, sympathique et sans prétention. Les amoureux d'un joli décor pourront, eux, pousser jusqu'à Marçay, à quelques kilomètres au sud de Chinon. Le village de tuffeau clair mérite déjà le détour. Mais le château, reconverti dans l'hôtellerie, est lui un pur joyau. Patrice Monsard y met un point d'honneur à choisir de beaux Chinon de propriétaires pour agrémenter sa carte. Mais mon coup de cœur ira au restaurant « Le Val de Vienne » à Sazilly. Coup de cœur, parce que la devanture, qui s'apparente plus à celle d'un routier qu'à la vitrine d'un établissement de haute gastronomie, cache une vraie merveille. Après avoir poussé la porte, il faut tourner à gauche, vers la grande salle – la droite abrite effectivement un relais routier –, et la symphonie commence. Les ris de veau sont cuits avec justesse, la salade tente et réussit un accord osé entre les langoustines et la mangue traitée en légume... Quant à la « charte des piots » – la carte des vins en français moderne –, elle ne regroupe pas moins de dix-sept Chinon rouges différents, auxquels s'ajoutent pour faire bon poids quatre rosés et un blanc. Malgré leur jeune âge, Jean-Marie Gervais, le timide maître des lieux, et son épouse ont réussi à se faire une jolie place sous le soleil chinonais. Les vignerons du cru n'avaient qu'une seule crainte, c'est qu'ils suivent l'exemple de leurs prédécesseurs : l'établissement a connu douze propriétaires en treize ans ! Ils respirent depuis que les Gervais ont fait l'emplette d'une bâtisse à proximité.

Une renaissance tardive

La quête de la dive bouteille

Je ne pense pas que c'est faire ombrage aux Chinonais que de dénoncer un de leurs paradoxes les plus évidents. Alors qu'ils affichent depuis des lustres une sérénité certaine, on sent vite poindre un certain manque de confiance qui transpire sous les discours. Il est clair que, dans ce pays de mesure et d'équilibre, on ne va pas afficher avec ostentation une quelconque supériorité. J'ai cru toutefois percevoir un certain complexe par rapport à certains vignobles plus huppés. Combien de fois ai-je entendu un vigneron prévenir ses visiteurs : « Attention, le Chinon est un vin rude, déroutant, ne vous formalisez pas de votre premier contact. » Si on leur fait remarquer ces précautions oratoires, ils insistent avec conviction : il vaut mieux prévenir que guérir ! Il est vrai que le caractère du Chinon détonne parmi ses cousins ligériens. Ceux qui attendent Grouchy risquent bien de voir arriver Blücher. Ce n'est pas pour autant Waterloo, tant la qualité globale de la production est homogène et certaine. La dégustation que nous avons effectuée nous l'a encore prouvé. Les vignerons le reconnaissent : si l'amateur qui découvre le Chinon est parfois dérouté, il finit toujours par être convaincu et par ne plus jurer que par la « purée septembrale » des rives de la Vienne. C'est sans doute cet excès de caractère qui empêche le Chinon de réaliser de gros scores en dehors de nos frontières. Le taux d'exportation plafonne sous les 10 %, ce qui semble démontrer qu'il faut déjà bien avoir maîtrisé les subtilités de l'œnologie pour apprécier le Chinon à sa juste valeur. « Nous vendons avant tout à des connaisseurs, disent les vignerons, ils ont déjà découvert le Bordeaux et le Bourgogne, ensuite seulement ils peuvent venir au Chinon. » C'est sans doute un peu vrai, mais il existe d'autres causes. Je suis certain pour ma part que le Chinon est avant tout un vin de convivialité qui ne peut se satisfaire des moyens modernes de diffusion. Pour le comprendre, il faut le découvrir en situation, au fond d'une cave de tuffeau. Que penseriez-vous d'un ouvrage dont on vous livrerait le texte sans les annexes ? Le Chinon est de ces vins vers lesquels il faut venir. La quête de la dive bouteille est un itinéraire initiatique. Un vigneron

◄ Comme quoi des « fillettes » peuvent être très vénérables.

▲ *Le célèbre graveur Gustave Doré a fait les plus belles illustrations de l'œuvre de Rabelais. Ici, un détail de la dive bouteille.*

82

chinonais m'a dit un jour : « Dans les grandes surfaces, les bouteilles ne racontent pas d'histoire. » La répartition des exportations est d'ailleurs significative. Contrairement aux schémas classiques, ce ne sont pas forcément le Royaume-Uni ou les pays d'Europe qui tiennent la corde pour la consommation de Chinon. On rencontre plutôt des pays plus lointains, comme le Canada, le Japon ou les États-Unis. Et les vignerons ajoutent avec malice : « Pourquoi chercher à exporter, alors que nous pouvons encore développer le marché français ? »

Mais, il faut le préciser, ce vignoble revient de loin. Au début du siècle, et même jusqu'à un passé récent, personne n'aurait parié un kopeck sur son développement. Tel la Belle au Bois Dormant, il semblait s'étioler et sombrer dans une certaine torpeur. Au lendemain de la Seconde Guerre mondiale, alors que le vignoble français commence à émerger et que les stars sont déjà bien en place, le Chinon n'existe pratiquement pas physiquement et commercialement. Deux éléments, bien éloignés au prime abord de la chose viticole, vont pourtant jouer un rôle fondamental et amorcer le processus. Cela d'autant plus que Rabelais, curieusement devenu au fil des siècles un auteur de « bibliothèque » et d'érudits, commence à retrouver une certaine audience populaire qui va aider à remettre le vignoble sous les feux de l'actualité.

Le premier de ces éléments est une conséquence directe du conflit mondial. Au lendemain de la guerre, en effet, un camp américain s'installe à Saint-Benoît-la-Forêt, à quelques kilomètres de Chinon. Pour la petite cité des bords de Vienne, cet apport soudain de clientèle, jeune et à fort pouvoir d'achat, est une révélation. Le camp compte, à ses plus belles heures, mille emplois bien rémunérés, soit 25 % de l'activité du canton de Chinon à cette époque. En quelques années, les « marines » tombent sous le charme et se convertissent au Chinon, créant une demande que les vignerons ont du mal à satisfaire. Parallèlement, beaucoup de jeunes Chinonais découvrent, à l'occasion de leur passage sous les drapeaux en Algérie, des horizons nouveaux en matière de viticulture. Pour eux qui ne cultivent le plus souvent que un ou deux hectares de vignes sans aucune mécanisation, les étendues et les techniques viticoles des colons d'Afrique du Nord jouent le rôle d'un électro choc. Dès leur retour, beaucoup vont bousculer leurs parents : une frénésie de plantation s'empare du Chinonais. Le breton, qui partageait alors son vignoble avec bien d'autres cépages moins huppés, s'impose définitivement. Les surfaces progressent vite. Elles se situaient à 300 hectares au sortir de la guerre. En 1968, elles ont déjà doublé et dépasseront les 2 000 hectares vingt ans plus tard. La demande est si forte que la viticulture a pourtant du mal à suivre. En les accueillant dans sa cave, il n'est pas rare que le vigneron décourage ses visiteurs :

« Ah que beu, y en a pu ! » Mais, avant que ces derniers ne fassent demi-tour, dépités, il ajoute magnanime : « On boirait ben un coup quand même. » En 1969, le prix du litre en vrac passe ainsi de 1 F à 3,25 F, démontrant une certaine pénurie. Les polyculteurs chinonais commencent dans un bel ensemble à se tourner vers la vigne et à se spécialiser. En parallèle, la civilisation des loisirs qui commence à poindre fournit aux Chinon une nouvelle clientèle de touristes attirés par le fabuleux patrimoine local. La machine est en route et ne va plus s'arrêter.

La fée électricité
Le deuxième facteur de renaissance semble encore plus incongru dans le contexte viticole. Au plus fort de la reconstruction du pays, dans les années cinquante, il devient évident que les besoins en électricité ne peuvent être satisfaits par les seules centrales thermiques ou les barrages. Pris d'une frénésie créatrice, les ingénieurs français entrevoient le formidable potentiel du nucléaire civil en matière de production d'énergie. Le choix d'un premier site pour l'implantation d'une centrale nucléaire semble évident : Chinon est suffisamment éloigné des grands centres urbains pour ne poser aucun problème technique et suffisamment proche pour que le jeu en vaille la chandelle. La Loire et l'Indre fournissent en outre un réservoir d'eau inépuisable pour refroidir les réacteurs.

Du côté des Chinonais, l'accueil est chaleureux. L'écologie n'a pas encore commencé à balbutier et chacun entrevoit cette implantation comme une chance évidente. Il y a bien quelques vignes expropriées, mais la plupart des surfaces convoitées par EDF sont en friches. Personne ne pense aux risques que cette installation pourrait faire courir à la région. A l'époque, les vignerons se battent même pour que la centrale, pourtant installée sur la commune voisine d'Avoine, porte le nom de Chinon. Pour la petite cité oubliée, cet apport de notoriété ne peut être que bénéfique, y compris pour les productions viticoles. Les travaux commencent en 1956, et la première tranche entre en service en 1963. Nos vignerons n'avaient sans doute pas tort. Combien de petits écoliers français des années soixante – j'en fus un – entendirent parler de Chinon comme d'une prouesse

◄ ▲ *Quoi qu'on en pense, le nucléaire peut coexister avec une bucolique douceur de vivre.*

technique nationale ? Il est vrai qu'à l'époque le vin me laissait encore de marbre. Mais le nom de la ville avait déjà tinté à mes oreilles. Outre la notoriété, la centrale amène à Chinon une nouvelle clientèle au moment même où le camp américain ferme ses portes. Les ingénieurs s'installent, les visiteurs étrangers se pressent pour admirer le bébé, et les caves ne désemplissent pas. La population d'Avoine triple et celle de Beaumont-en-Véron est multipliée par deux à cette occasion. La greffe prend au-delà de toute espérance, provoquant même, conséquence inattendue, de nombreuses unions. Combien de vignerons comptent ici un gendre « ingénieur à EDF » ? Quant à la centrale, elle appartient désormais au patrimoine local. Le panache de chaleur qu'elle dégage fait partie du paysage. Il constitue même un baromètre inattendu : quand il va faire beau, il se réduit, mais que le mauvais temps s'annonce et le voilà qui prend du volume. Pratique pour programmer ses traitements !

Trente ans après, le discours a un peu évolué. Beaucoup se demandent si la centrale leur a vraiment apporté de la notoriété, sans toutefois contester son influence économique sur l'ensemble de la région. Aujourd'hui, cédant au discours écologique ambiant, les vignerons aimeraient bien lui voir prendre le nom d'Avoine, afin d'éviter que leur vin porte le même nom que celui d'un site nucléaire. Ils soulignent pourtant, toutes les analyses le démontrent, que la radioactivité n'a aucunement évolué dans les vins de Chinon depuis trente ans. Il conserve sa belle robe profonde de rubis qui n'est pas près d'évoluer vers le fluo. Pourtant, lorsque le maire de Chinon projette d'ouvrir un site de retraitement de déchets chimiques, les boucliers se lèvent. Autres temps, autres mœurs, il ne faut pas abuser !

▲ *Et le panache de la centrale est un fameux ballon météorologique.*

Le prince charmant

Pour réveiller la Belle au Bois Dormant, il faut aussi un prince charmant, c'est bien connu. La belle endormie chinonaise trouve le sien en 1959. Il est œnologue et s'appelle Jacques Puisais. Chacun connaît son influence sur les techniques viti-vinicoles modernes et sa croisade à la recherche du goût perdu. Le regard tendre derrière ses fines lunettes, le cheveu clair, il promène depuis déjà longtemps sa haute stature et son nœud papillon dans toutes les salles de dégustation. On lui doit une sérieuse évolution du vocabulaire gustatif que ses détracteurs ont souvent tourné en dérision. Mais ses mots témoignent toujours de solides aptitudes à l'analyse du vin et introduisent une réelle poésie dans la traduction sensorielle. Notre homme n'est pas chinonais, mais il trouve à son arrivée un écho et un accueil inattendus. Il commence ses travaux par une étude climatique, tout en incitant les producteurs à se rencontrer et à échanger leurs idées, et les services officiels à mieux comprendre la viticulture. C'est lui qui instaure au début des années soixante des visites de maturité des vignes trois semaines avant les vendanges. La première regroupe huit inconditionnels, ils sont deux cent cinquante aujourd'hui. Bien sûr, si chacun reconnaît alors à M. Puisais des connaissances certaines, d'aucuns s'offusquent parfois de son langage obscur. Ainsi, lorsqu'en dégustation chez un vigneron il qualifie le vin de la propriété de « féminin », le producteur ne manque pas de s'indigner en aparté auprès de ses confrères : « Il est gonflé, ton Puisais, je ne fais quand même pas un vin pour les bonnes femmes ! » Jacques Puisais trouve toutefois une viticulture en devenir mais pleine de foi et de respect pour le vin. Les méthodes sont encore empiriques : c'est lui qui fera découvrir aux Chinonais qu'il existe une seconde fermentation. La vinification allie alors des habitudes ancestrales – telle la cuvaison en « marc immergé » pour éviter l'oxydation du marc – aux nouveautés plus curieuses. Raymond Loiseau, 84 ans, qui entama sa carrière de vigneron auprès de son père, à 13 ans, avoue : « En 1939, j'ai acheté le *Larousse agricole*. Cela rendait bien des services. Jacques Puisais a beaucoup fait pour la viticulture. Il organisait des cours pour former les vignerons à la taille ou à la vinification. » Jacques Puisais comprend vite que la clé de la vinification chinonaise réside dans l'égrappage. Le cabernet-franc nécessite un éraflage soigné pour éviter les goûts herbacés qui pourraient se développer lors de la macération. De tout temps, l'égrappeur a tenu un rôle important dans les vendanges. C'était la mission noble, de confiance, que chacun voulait remplir. A l'époque, un égrappeur arrivait à traiter 40 hl par jour en passant le raisin dans son égrappoir, une sorte de grand panier en osier avec un tamis à larges mailles. Jacques Puisais a beaucoup travaillé sur les égrappoirs mécaniques, cherchant à trouver un système qui

élimine les rafles tout en laissant 90 % des grains entiers pour la macération. Il a également insisté sur l'importance des chais basés sur la gravité naturelle, où les raisins effectuent un parcours jusqu'à la cuve de macération sans jamais être maltraités par une pompe. Incomparable pour conserver leur intégrité et les préserver d'une oxydation nuisible.

Mais Jacques Puisais a eu bien d'autres influences sur les techniques viticoles chinonaises. C'est lui qui a incité les vignerons à « cueillir plus court » afin de raccourcir au maximum les temps de vendanges. C'est lui aussi qui les a convaincus d'allonger la durée de fermentation et d'adopter la maîtrise des températures. Ils furent parmi les premiers en Val de Loire à adopter cette technique aujourd'hui universelle. C'est lui encore qui réalisa – chez Charles Joguet *(lire « Mes aventures dans le vignoble de France », de Kermit Lynch, dans la collection du Grand Bernard)* – les premiers systèmes de pigeage

▲ *Pour apprécier les progrès contemporains, il faut voir les témoins du passé (ici à l'Olive).*

mécanique, cherchant à reproduire, avec un mécanisme complexe de chaînes, les gestes humains. Cette pratique est importante pour les Chinon : elle consiste à casser le chapeau de marc qui se forme au sommet de la cuve, pour le remélanger avec le jus. On la combine avec des remontages pour mieux oxygéner le moût et extraire le maximum de matières colorantes. L'habitude locale consistait à utiliser une cuvette en bois à tronc conique – plus étroite dans le fond – baptisée « cuette ». C'était dans la cuette que l'on pigeait avec les pieds. Elle contenait environ 300 litres, ce qui correspondait à la capacité d'une barrique. En matière de pressoirs, la star du lieu a longtemps été le « casse-cou » – prononcez « casse-coué » pour faire couleur locale –, dont les origines remontent au XIᵉ siècle. Ce nom lui avait été donné pour son côté dangereux. Non parce qu'il faisait courir au vigneron le risque de se casser le cou, encore que. Mais parce que les fûts étaient resserrés par une corde – « cou » en vieux français – qui se cassait souvent. Les « casse-cou » ne sont plus guère utilisés de nos jours, mais on en retrouve régulièrement dans les caves : il n'est pas rare de découvrir dans le tuffeau la marque des emplacements des fûts et des encoches sur les murs opposés où la corde coulissait pour accentuer le bras de levier. Les apports de Jacques Puisais ont été nombreux et variés, mais, insiste-t-il, les Chinonais étaient, à la base, de vrais vignerons respectueux de la vigne et de leur vin. Il ajoute d'ailleurs que les œnologues doivent faire attention et rester à leur place. Le vrai patron doit rester le propriétaire. Sa formule préférée ne manque pas de poésie : « Le vin, c'est la gueule de l'endroit et les tripes de l'homme. » Chacun à sa place. Si sa notoriété a désormais dépassé largement le strict cadre du vignoble de Chinon, Jacques Puisais n'a jamais caché son attachement profond à ce terroir qui lui avait fait confiance. Il a d'ailleurs décidé d'y élire domicile, dans les faubourgs chinonais de l'Olive.

Jacques Puisais,
face à la belle réalité
de son grand œuvre
œnologique.

En matière d'élevage, les chapelles chinonaises semblent s'opposer avec force. Bois ou pas bois ? La réalité est moins contrastée. En fait, il est admis qu'un Chinon de garde doit passer quelque temps en fût pour y trouver les tanins garants de sa longévité. Ce traitement est rarement réservé aux Chinon de Pâques, destinés à être diffusés et bus rapidement. Mais les vignerons aiment avant tout choisir un bois discret : point de barriques neuves ici ! Quelle que soit l'origine du bois, ils préfèrent des fûts de un ou deux vins, moins marqués. D'ailleurs, Jacques Puisais ne se lasse pas de le souligner, le véritable vieillissement du Chinon se fait en bouteille bien plus qu'en fût. Il faut également dire un mot des couleurs. On a assisté ces dernières années à un certain développement du Chinon rosé. Outre le réveil général des rosés, tombés en « disgrâce marketing » durant de longues années, cette situation est due au souci des vignerons de Chinon de mieux vinifier les... rouges. Le Chinon rosé est en effet obtenu par saignée dans les cuves de rouge quelques heures après le début de la cuvaison. Le principe permet de concentrer le moût restant dans la cuve. C'est donc le produit de la saignée qui permet d'obtenir de gentils rosés sans prétention, toujours agréables sur une terrasse ensoleillée. Le Chinon blanc revient lui aussi à la mode. On a vu qu'il avait occupé une place certaine dans l'histoire viticole de la région. L'influence actuelle du chenin est limitée puisque l'on compte environ 20 hectares en production. Pourtant, nombreux sont les vignerons qui se lancent aujourd'hui dans l'aventure, soucieux de démontrer qu'ils savent eux aussi vinifier de grands vins blancs.
Les spécificités du Chinon ont souvent conduit ce vignoble à faire

▲ L'outillage ancien fait partie intégrante du patrimoine culturel, même les « casse-cou » !

un peu bande à part. Si le cousinage avec Bourgueil et Saumur – les deux autres rouges de cabernet-franc du « triangle d'or » ligérien – reste étroit, Chinon conserve ses spécificités et une culture qui lui est propre. Saumur, pourtant éloigné de trente kilomètres, est dans le département du Maine-et-Loire et se rattache tout logiquement à l'Anjou. Quant à Bourgueil, les terroirs de la rive nord de la Loire en font un vin plus facile – cela n'a rien de péjoratif – que le Chinon. Dès lors, si l'appartenance tourangelle du Chinon n'a jamais fait de doute, on peut comprendre que les vignerons chinonais aient toujours considéré avec circonspection les actions du Comité des vins installé à Tours. Celui-ci avait déjà fort à faire avec la mosaïque d'appellations tourangelles pour ne pas se formaliser d'un bastion de résistance chronique – partagé avec Bourgueil – sur les rives de la Vienne. L'adhésion à l'interprofession n'est intervenue, à titre expérimental, qu'en 1992. Le gros argument des promoteurs du rapprochement était la publicité. Le Chinon termine en 1995 la période probatoire de trois ans qu'il s'était fixée et tout porte à croire qu'il va définitivement s'installer dans le giron du Comité interprofessionnel des vins de Touraine-Val de Loire (CIVTL). Les Chinonais restent pourtant prudents, conscients que les maigres budgets globaux apportés par l'appellation ne permettent pas de faire de miracles en termes de communication. A la même période, le Chinon s'est aussi essayé aux accords de prix. C'était en 1992, alors que le vignoble se remettait doucement du grand gel de l'année précédente. Le système, comme souvent en période de crise, n'a pas fonctionné et les prix se sont vite éloignés des fourchettes convenues. Avec le solide bon sens qui est le leur, les Chinonais ont donc abandonné ce principe dirigiste et s'en sont remis à la loi du marché pour gérer leur appellation. Cette longue position de franc-tireur vis-à-vis des instances régionales explique sans doute le développement de la structure syndicale locale, qui, outre les aspects techniques de l'appellation, a longtemps géré sa communication et son développement, notamment du point de vue touristique. Celle-ci, magnifiquement installée à l'entrée des Caves Painctes en plein cœur de la ville, dispose même d'une secrétaire permanente qu'elle partage en bonne intelligence avec la confrérie.

Voyage en Rabelaisie

Le pays imaginaire

Il existe en France un pays aux frontières fixées dès le xvie siècle et à l'identité affirmée depuis des lustres. Ce pays est un peu imaginaire, mais il présente une réalité beaucoup plus évidente que bien des découpages géopolitiques modernes. Ce pays, vous l'avez compris, c'est la Rabelaisie. Les panneaux l'annoncent fièrement dès l'entrée de Chinon : « Capitale de la Rabelaisie ». Pourtant, ici, point de contrôle aux frontières, point de carte d'identité, point d'impôts – si ce n'est ceux de la République. Depuis longtemps, on disait « rabelaisien », il était normal que cette peuplade, très concentrée à proximité du confluent de la Vienne et de la Loire, se dote d'une réalité territoriale. La Communauté européenne n'a pas encore pris conscience de l'existence de cette nation en son sein, mais cela ne saurait tarder. Les principes de ce pays imaginaire, mais très palpable, reposent sur les préceptes de François Rabelais. Il est l'héritage des écrits de Rabelais, notamment de la description minutieuse qu'il fait de la région dans *Gargantua*, et il épouse globalement les contours de l'appellation. L'identité rabelaisienne est l'une des plus fortes qui soient. Elle contrebalance avec bonheur le découpage administratif qui rangea en son temps le Chinonais – et l'ensemble de la Touraine viticole – dans la région Centre, tandis que les limites des Pays de la Loire étaient fixées à quelques kilomètres en aval. Difficile de faire admettre cette subtilité administrative aux étrangers – étrangers à la région s'entend. La Touraine possède assurément les châteaux les plus emblématiques de la vallée de la Loire, célèbres sous toutes les latitudes, et se voit pourtant exclue administrativement de cette référence au fleuve royal.

Forte des joyaux dont elle dispose, la culture touristique de la Touraine est déjà ancienne. On peut même en situer le vrai développement à des temps très anciens et à un personnage extrêmement important pour la viticulture mondiale. Je veux bien sûr parler du « tailleur » le plus célèbre de la chrétienté : saint Martin de Tours. Tailleur, car chacun connaît l'histoire de ce légionnaire romain, né en Hongrie, qui coupe son manteau pour en offrir la moitié à un pauvre. Devenu troisième évêque de Tours, il occupe un rôle fondamental et mythique dans le développement viticole puisque l'on attribue à son âne, laissé en liberté dans les vignes de l'abbaye de

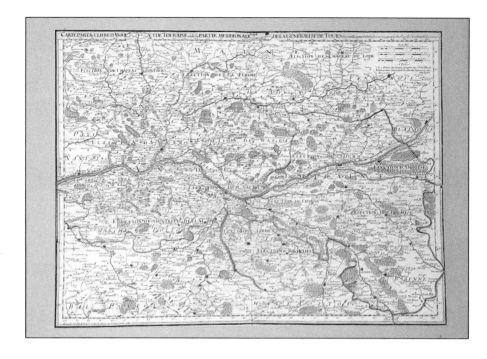

Marmoutiers près de Tours, la découverte de la taille des ceps *(cette légende se retrouve à Chablis -- voir ce livre, dans la même collection -- mais sa source mythologique remonte à la Grèce antique. N.D.L.E.)*. Il est délicat d'affirmer que saint Martin a pu avoir une quelconque influence sur le développement viticole chinonais ou même qu'il a séjourné en Loire et Vienne. Aucun écrit ne mentionne son passage en Chinonais. Il reste toutefois qu'il mourut à Candes, au confluent des deux fleuves, et que pour s'y rendre il avait au moins dû traverser la forêt de Chinon et le Véron. L'influence de saint Martin ne saurait toutefois se limiter à la récupération intelligente des dégradations de sa monture. Pour Tours et sa région, la présence d'un tel homme, puis de ses reliques, offre une substantielle rente de situation. A une époque où le tourisme est encore sous une forte influence religieuse, les pèlerins vont en effet se presser dans la région dès le Moyen Age et assurer rapidement une partie de la fortune de Tours et des environs.

Pour aborder la visite du vignoble, il faut bien sûr démarrer à Chinon. « Ville chef-d'œuvre, comme dit Maurice Bedel, ... couronnement de tours, de donjons et de créneaux cette ville étroite tassée entre une muraille et une rivière, cette ligne de platanes qui invite à la promenade au bord de l'eau, voilà une composition de parallèles d'une grâce unique. Chinon est un diadème posé au front de

Selon la tradition locale, Jeanne d'Arc aurait mis pied à terre en arrivant à Chinon. ▶

la Touraine. » Un premier conseil s'impose si vous arrivez en voiture par l'ouest. Au grand rond-point, ignorez superbement les panneaux qui vous indiquent « Chinon centre » et choisissez « Chinon Saint-Jacques ». Vous allez ainsi traverser le faubourg sud de la ville et découvrir le château et toute la cité par son profil le plus impressionnant, depuis la rive gauche de la Vienne. On trouve dès son arrivée deux statues : celle de Rabelais, sur le quai à proximité du pont, puis celle de Jeanne d'Arc quelques centaines de mètres en amont. Ces deux statues marquent à leur manière le combat des cléricaux du début du siècle, qui faisaient de la Pucelle leur figure emblématique, et de leurs opposants laïcs, davantage portés par les principes humanistes de l'écrivain. Les deux parties eurent, comme on peut le voir, gain de cause. Le visiteur remarquera quand même que la statue de Rabelais fait face à la cité et, contrairement aux usages sculpturaux, tourne le dos à l'onde. De là à conclure qu'il s'agit d'une illustration malicieuse du dédain de Rabelais pour l'élément liquide non vinifié, il n'y a qu'un pas que d'aucuns franchissent avec malice. Les sites à visiter abondent au cœur de la ville. Il faut bien sûr abandonner rapidement sa voiture – ce n'est pas le plus facile – pour parcourir à pied les rues étroites des vieux quartiers. La plus significative est sans nul doute la rue Haute-Saint-Maurice, aujourd'hui curieusement rebaptisée « rue Voltaire », avec ses maisons anciennes typiques. Elle démarre de la petite place de l'hôtel de ville et longe les pieds du château. Au bout de cette place, et avant d'aborder notre fameuse rue, on peut s'attarder sur le puits où, selon la tradition locale, Jeanne d'Arc aurait posé pied à terre en arrivant à Chinon.

En hommage à la Pucelle, l'eau ne s'en est jamais tarie depuis. Les constructions les plus récentes de la rue Haute-Saint-Maurice sont contemporaines de Louis XIV mais beaucoup existaient déjà dès la fin du XVe siècle, à la naissance de Rabelais. Le tuffeau règne bien sûr en maître, mais les colombages de bois, les tourelles d'angle ou les figures de pierre des façades rythment l'architecture. Beaucoup d'édifices y sont concentrés : le Grand Carroi, l'une des plus belles maisons à pans de bois, la Maison Rouge (XIVe – XVe) édifiée en brique et en bois, l'Hôtel du gouverneur (XVe – XVIIe) où les gouverneurs de la ville élirent domicile après que l'état de délabrement du château les eut contraints à déménager, l'Hôtel du bailliage qui vit plaider Antoine Rabelais... On trouve aussi dans cette rue la Maison des états généraux, ainsi nommée parce qu'elle abrita, en 1428, la ré-

Une balade dans Chinon fait découvrir maints aspects historiques de la ville, tels que le musée animé du Vin et de la Tonnellerie (en haut), l'architecture savante du Grand Carroi...

union des états généraux du royaume convoqués par Charles VII. C'est là que la légende situe le décès de Richard Cœur de Lion, blessé à Châlus. Cette grande bâtisse abrite aujourd'hui le musée de la Batellerie et des Traditions populaires, animé par l'Association des amis du vieux Chinon. Mais le vin n'est pas ici oublié. A quelques mètres de là se trouve l'entrée des Caves Painctes et le siège du Syndicat des vins de Chinon où les touristes peuvent venir faire l'emplette de quelques bouteilles s'ils n'ont pas le temps de visiter les propriétés environnantes. Une halte s'impose aussi au musée animé du Vin et de la Tonnellerie. Ce petit musée sympathique a été créé en 1979 par un menuisier, André Cousin. Passionné de tradition viticole et d'automates, notre homme s'est attaché au fil des années à se constituer une collection d'objets du passé et à construire des

... une maison médiévale (en haut), d'où François Rabelais pourrait sortir d'un instant à l'autre, et celle des états généraux où était régie autrefois l'économie locale.

automates pour mieux illustrer leur utilisation. La visite est commentée par un enregistrement haut en couleur et ponctuée de « travaux pratiques » avec une dégustation en règle des vins locaux. Après quatorze ans ans de labeur, André Cousin a cédé son musée, qui a fort heureusement été repris par un groupe d'amoureux de la vigne. L'escalade des « rues » escarpées s'impose alors pour gagner le château. Certaines d'entre elles ont des degrés mais les fumeurs y regrettent rapidement leur vice, tant la montée est rapide. Curieux édifice que le château de Chinon : il est constitué en fait de trois parties bien distinctes, séparées par de larges fossés enjambés par des passerelles de pierre. La plus ancienne est le château du Milieu, dont les origines remontent au Xe siècle, édifié selon toute vraisemblance sur l'emplacement du « castrum » gallo-romain d'origine. On y accède par la tour de l'Horloge qui abrite la fameuse « Marie-Javelle ». Beaucoup de ses bâtiments ont disparu, mais la restauration a débuté et se poursuit lentement pour redonner à cet ensemble majestueux son lustre d'origine. A l'ouest, se trouve le fort du Coudray et la fameuse « tour aux graffitis » qui accueillit Jeanne d'Arc et les Templiers. Ce sont les deux seules parties que l'on peut visiter, puisque le troisième ensemble, le fort Saint-Georges, envahi de végétation et qui ferme la forteresse à l'est, est aujourd'hui propriété privée. Il fut construit par Henri II Plantagenêt lorsque ce dernier décida de résider à Chinon. Il faut prendre le temps de découvrir le panorama qui s'ouvre de chaque côté du château. Sur la Vienne au sud, avec tous les toits d'ardoise pointus qui bordent la vallée, et sur le vignoble au nord, avec le fameux « Clos de l'Echo ». Ce clos de légende – voir le répertoire – doit son nom à l'écho très particulier qui résonne sur les murailles. L'histoire raconte que les habitants aimaient venir tester ses capacités par cette question d'importance : « Les femmes de Chinon sont-elles fidèles ? » L'écho demandait alors invariablement : « Elles ? » Il fallait alors préciser : « Oui, les femmes de Chinon. » Ce à quoi l'écho répondait avec constance : « Non ! » Je n'ai jamais eu le loisir de vérifier si cet écho malicieux était bien informé ni d'où il tenait ses sources.

▲ *En somme, Chinon est un beau jeu de constructions !*

◄ *Ici l'écho : « Sont-elles fidèles ?   -- Elles ?   -- Les femmes de Chinon !   -- Non ! »*

99

Le meilleur moment pour goûter l'ambiance des vieilles rues chinonaises est sans conteste le premier week-end d'août. C'est alors le « marché Rabelais ». Créée en 1974, cette manifestation haute en couleur – et non subventionnée, comme le souligne Jacques Couly, l'un de ses fondateurs – réunit chaque année une vingtaine d'associations et une centaine d'animations. C'est un vrai festival, où se retrouvent, en costumes Renaissance, 200 artisans de tous horizons. On mange, on rit, on applaudit, le tout dans une ambiance plus rabelaisienne que nature, avec plus de 30 000 visiteurs à chaque millésime.

Les autres rues du vieux Chinon incitent tout autant à la flânerie. Elles peuvent aussi conduire le visiteur vers l'église Saint-Étienne (xvᵉ) et surtout la collégiale Saint-Mexme. Ce superbe ensemble roman fut édifié en sept tranches entre le vᵉ et le xvᵉ siècle. Il

▲ *Le « marché Rabelais » est devenu une fête institutionnelle fort connue.*

Les rues du vieux Chinon incitent à la flânerie. ▲

100

s'agissait à l'origine du monastère fondé par saint Mexme, qui devint collégiale en 950. Le clocher central s'effondra, hélas ! au début du XIXe siècle, détruisant le chœur et le transept. On y trouve toutefois le fameux bas-relief de la crucifixion (Xe) et, dans l'une des tours, une chapelle peinte du XVe. En remontant sur le coteau, on peut encore aller s'attarder sur la chapelle troglodyte Sainte-Radegonde, édifiée au XIe siècle sur l'emplacement où l'ermite Jean le Reclus s'était installé quatre cents ans plus tôt. Il est temps à présent de se rendre sur le champ de bataille. Celui des guerres picrocholines.

Les guerres picrocholines
Soyons honnêtes, le théâtre des guerres picrocholines – et donc la Rabelaisie profonde – se situe principalement sur la rive sud de la Vienne. Rabelais cite bien Chinon, mais le conflit est surtout concentré à la campagne. Pour être tout à fait précis, il faut indiquer que tous les écrits de Rabelais ne sont pas à prendre au pied de la lettre. Combien de touristes étourdis demandent ici où se trouve l'abbaye de Thélème ? Si la plupart des sites décrits par Rabelais existent ou ont existé, l'abbaye utopique des Thélémites est, quant à elle, restée un mythe. Ne la cherchez donc pas entre Lerné et La Roche-Clermault et n'interrogez pas les autochtones qui, malgré l'habitude, ne manqueraient pas de se gausser de votre ignorance. Si vous voulez vraiment visiter une abbaye, il faudra vous « contenter » de celle de Fontevraud. Elle constitue une compensation plus qu'agréable, mais vous entraînera chez les voisins saumurois. Commençons par le commencement : la Devinière est incontournable pour bien comprendre Rabelais. Cette grande ferme du XVe, qui vit naître l'écrivain, est perdue au milieu de coteaux verdoyants. Les bâtiments ne manquent pas d'intérêt, avec le fameux pigeonnier du XVIIIe qui figure sur bien des livres consacrés à la région. On peut aussi s'attarder sur la maison de vigneron et sur les caves de la propriété. La maison de vigneron est typique des constructions viticoles tourangelles avec un rez-de-chaussée spécifiquement consacré au travail de la vigne. Le vigneron y stockait tous ses outils. L'étage est réservé à l'habitation et il n'existe aucune communication intérieure entre les deux niveaux. Cette disposition permettait à chacun de rester chez soi : l'homme en bas et la femme en haut. De cette façon, l'épouse ne risquait pas de mettre son nez dans l'exploitation et restait à l'écart des barriques. Les croyances anciennes lui imposaient en effet de ne pas se mêler de vin, surtout à certaines périodes du mois... On sait aujourd'hui que ces préceptes étaient sûrement davantage liés à la volonté du vigneron de ne pas voir son épouse s'intéresser de trop près à ses affaires. Les caves de la Devinière montrent bien que cette propriété a eu une dominante viticole marquée. Creusées dans

le tuffeau comme il se doit, on ne dénombre pas moins de six pièces différentes sous la maison. Mais, là où l'affaire prend une autre tournure, c'est en constatant que ces caves abritaient non moins de... cinq emplacements de pressoirs. Voilà qui permet d'imaginer le volume de la récolte. Bien des propriétés actuelles envieraient aujourd'hui ces installations. La Devinière a été rachetée en 1948 par le conseil général d'Indre-et-Loire, qui en a patiemment acquis toutes les parcelles : la cour intérieure comptait alors une quinzaine de propriétaires ! L'ensemble abrite aujourd'hui un musée consacré à Rabelais : outre les murs où François vécut sa prime enfance, on peut admirer des collections passionnantes qui détaillent toutes les facettes de son œuvre. Si vous avez la chance de bénéficier des commentaires éclairés et passionnés de Patricia Chemin, le régisseur de l'endroit, la visite frisera l'inoubliable. Dans *Gargantua*, la Devinière occupe une place importante puisqu'il s'agit du château de Grandgousier, le père de Gargantua. C'est là que Grandgousier tient table ouverte pour fêter la naissance de son fils et c'est là aussi que ce dernier vient se reposer entre deux batailles. En découvrant l'endroit, on se demande humblement comment les géants pouvaient habiter dans un lieu aussi restreint et bas de plafond. Nul doute que l'écrivain a quelque peu enjolivé la maison de sa naissance.

En quittant la Devinière, il suffit de faire quelques centaines de mètres pour atteindre Seuilly. Avant d'entrer dans la petite bourgade, on découvre au loin la silhouette du château du Coudray-Montpensier (xive – xve), qui appartint à l'avionneur Pierre Laté-coère. Il abrite aujourd'hui une école. Mais, en suivant les pas de Rabelais, il faut se rendre à l'abbaye Saint-Pierre de Seuilly (xiie). Dans ces murs, le petit François, âgé de 6 ans, a entamé son éducation aux bons soins des bénédictins. C'est là aussi que se situe

▲ *Entre autres découvertes attractives, la maison vigneronne de la Devinière.*

l'épisode épique de la riposte de Frère Jean des Entommeures, irrité au plus haut point par les exactions des armées de Picrochole dans les vignes de l'abbaye. On revient vers La Roche-Clermault. La seconde partie des troupes de Picrochole avait foncé vers la ville et pris le château. La forteresse décrite par Rabelais fut remplacée au XVIe siècle par le château actuel – propriété privée – dont la construction fut brutalement interrompue en 1638. Dans la ville, on peut s'attarder sur l'église Saint-Martin, dont la nef lambrissée à galeries en charpente date du XIIe siècle. Petit aparté sur les guerres picrocholines avant de quitter le champ de bataille : Rabelais décrit l'avant-garde de l'armée de Picrochole comme comptant 51 025 hommes. Outre le fait que l'on retrouve bien là le style de l'écrivain qui n'hésite jamais à donner des chiffres aussi précis que démesurés, on en déduit que les troupes de Picrochole devaient compter 200 000 hommes au total. Pas mal pour un conflit géographiquement limité à une surface de 25 km² !

On quitte La Roche-Clermault en remontant vers la Vienne. En re-trouvant la N149 et sa longue ligne droite, on va longer le village de Rivière. En toute logique, ce dernier est situé le long du fleuve. Il était initialement installé à la jonction de deux voies romaines, et un gué très fréquenté permettait de traverser la Vienne, avant qu'Henri II ne fasse établir le premier pont de Chinon. Outre un château, le bourg renferme un pur joyau : l'église Notre-Dame. Il doit s'agir du plus ancien sanctuaire de Touraine puisque sa construction débuta au Ve siècle. La légende raconte que saint Martin avait l'habitude de venir prier à Rivière lorsqu'il se rendait à Candes. La charpente

▲ *Dans l'église de Rivière, chaque centimètre carré est coloré.*

en coque de navire retournée et ses fines poutres peintes sont déjà un vrai régal pour les yeux. Mais les murs participent eux aussi à la magie du lieu. Ils furent entièrement peints – c'est vrai que pas un seul centimètre carré n'a échappé au pinceau – au XIXe siècle par le comte de Galembert. On remarque également le chœur surélevé au-dessus d'une crypte, un principe pourtant rare dans la région. Cette crypte renferme les gisants du seigneur de Basché, de son épouse et de son fils. L'histoire raconte que ce seigneur avait choisi le protestantisme au XVIe siècle. Survint une épidémie de peste. Le curé de Rivière fut le seul à apporter réconfort à la famille du gentilhomme, qui revint au catholicisme et accorda une rente à l'église. En quittant de nouveau la Vienne, on s'échappe vers Ligré par des petites routes. Elles serpentent entre les parcelles de vignes et les champs de céréales qui se teintent au printemps d'un jaune tendre, ponctué des taches rouges des coquelicots. Le tuffeau bien rénové des bâtiments du XVe siècle resplendit de tous ses feux au cœur de ce petit bourg typique du Chinonais. Les fermes et les châteaux sont ici nombreux dans la campagne délicatement vallonnée et rivalisent d'atours pour séduire le visiteur.

Au fil de la Vienne

Il faut traverser la Veude, petit affluent de la Vienne, avant de retrouver la D749 et de rejoindre le château du Rivau. Ce bel ensemble a été édifié au XVe siècle sur les bases d'un château féodal du XIIIe. Il faut noter que Rabelais fait mention de ce

▲ *Les Roches-Tranchelion tiennent leur nom d'un lion ramené d'une croisade.*

bâtiment, puisqu'il le fait attribuer par Grandgousier à Tolmère en remerciement de ses faits d'armes. A remarquer, son pigeonnier du xvie qui ne compte pas moins de deux mille cases! On retrouve la vallée de la Vienne à Anché, puis Sazilly. La route suit le bas des coteaux où la vigne se fait plus présente et longe la vallée. Voici Tavant, petite cité célèbre pour son église Saint-Nicolas (xiie) et les peintures murales de sa crypte. Oubliées jusqu'au xixe siècle, elles furent restaurées entre 1942 et 1945. La beauté diaphane de ces magnifiques fresques romanes est saisissante. On atteint ensuite L'Ile-Bouchard, qui offre, après Chinon, la première possibilité de repasser sur la rive nord de la Vienne. Cette commune doit son nom au seigneur Bouchard qui édifia ici une forteresse au ixe siècle. Richelieu, qui l'avait racheté, rasera le château en 1629. Outre la Vienne, L'Ile-Bouchard est bercée par les cours paisibles de petits affluents : la Bourouse et les Manses. Une façon, sans doute, de saluer la mansuétude de cette terre sans égale. Il ne faut pas manquer de s'attarder sur les vestiges du prieuré Saint-Léonard (xie) et ses monstres sculptés, sur l'église Saint-Gilles (xie également), où des fillettes virent une apparition de la Vierge en 1947, et sur le sympathique musée du Bouchardais. En quittant L'Ile-Bouchard, on s'engage sur la route de Crouzilles pour apercevoir le dolmen du Pavé de Saint-Lazare qui dut servir à des sacrifices. Il est situé sur une propriété privée. Cette petite commune, qui marque la limite est de l'appellation, abritait une usine hydraulique sur la Vienne au xixe siècle. Crouzilles, à l'origine « Crucilia », était un prieuré au xviiie siècle. Il portait pour armoiries une croix ornée de coquilles, d'où, sans doute, l'origine de son nom. On y trouva d'ailleurs des vestiges archéologiques gallo-romains de première importance : colonnes, fours de potiers, céramiques...

Il faut s'éloigner un temps du cours de la Vienne pour se diriger vers Avon-les-Roches. La collégiale des Roches-Tranchelion (xive) mérite une attention certaine pour sa façade qui allie avec élégance le gothique et l'inspiration Renaissance. Il s'agissait à l'origine d'un château – il n'en reste que des vestiges – dont le propriétaire avait ramené des croisades un lion. Curieux animal de compagnie : notre homme l'enferma dans l'un des souterrains du château et prit l'habitude de le nourrir avec les sujets dont il souhaitait se débarrasser. C'est cette sympathique attention qui valut son nom à l'endroit. Pour la petite histoire, on découvrit à proximité, en 1966, un trésor de pièces d'or dont personne ne sait aujourd'hui qui a bien pu les y ensevelir. Dans le bourg lui-même, l'église Notre-Dame (xiie) est un monument original : son porche charpenté est unique en Touraine.

En suivant la D21 qui serpente sur les coteaux de la Vienne, on gagne Panzoult. C'est dans le paysage du vallon du Croulay – un

Ci-dessus, les tournesols ont mué le photographe en peintre impressionniste, tandis que le château de Velors, à Avoine, fait un contrepoint à la centrale nucléaire et que le pressoir de Panzoult accueille le visiteur. Page de droite : les Roches-Tranchelion sur fond d'azur.

petit affluent de la Vienne – que Rabelais a décrit la maison de la Sibylle, que Pantagruel conseille à son ami Panurge de visiter dans le Tiers Livre. La tradition orale situe cette maison dans l'une des nombreuses caves creusées dans le tuffeau à cet endroit. Mais voici Cravant-les-Coteaux – le terme « cravant », d'origine gauloise, désigne une campagne caillouteuse –, véritable cœur de l'appellation qui compte aujourd'hui un tiers des surfaces cultivées. Au contact des vignerons de Cravant, on comprend mieux pourquoi. Il existait ici, dans les années cinquante, une large proportion de jeunes fils de propriétaires qui furent prompts à comprendre que le salut viendrait d'une certaine spécialisation viticole. La renaissance du Chinon est sans conteste partie de cette rive de la Vienne. Il suffit pour s'en convaincre d'arpenter la route qui mène à Chinon : les pancartes de vignerons pullulent. Difficile d'y résister, ce serait d'ailleurs dommage ! Cette sollicitation publicitaire, et les vignes qui se montrent nombreuses alentour, font de Cravant l'une des rares communes du Chinonais où l'on se sente vraiment dans un vignoble. Conformément à sa raison sociale, le bourg est situé sur les coteaux de la Vienne et domine le fleuve. Mais le joyau de Cravant est lui aussi religieux : il faut remonter vers le vieux bourg pour dénicher l'ancienne église, d'influence carolingienne, qui compte, comme il se doit, quelques peintures murales. Hélas ! les habitants abandonnèrent ce lieu de culte pour une nouvelle église, au milieu du XIXe siècle. Elle fut donc laissée à l'abandon durant de nombreuses années, avant que l'on ne s'inquiète de son sort, et les fresques en ont beaucoup souffert.

Il faut rejoindre Chinon par le faubourg de l'Olive, avant de prendre la route d'Huismes. Cette petite commune des bords de Loire marque la jonction du Chinonais avec le grand fleuve. Les châteaux y sont nombreux, comme pour souligner la qualité de vie en ces lieux. C'est à quelques kilomètres en effet que se dresse le somptueux château d'Ussé. Son origine remonte au Moyen Age, mais les apports de ses propriétaires successifs en font un véritable joyau

▲ *Le somptueux château d'Ussé, où Charles Perrault fit naître la Belle au Bois Dormant.*

d'architecture. On comprend mieux pourquoi il put, selon l'usage populaire, servir de modèle à Perrault pour imaginer le château de la Belle au Bois Dormant. Ussé accueillit également un certain François-Marie Arouet, mieux connu sous le nom de Voltaire, qui y acheva *Henriade*. Mais Ussé n'est pas le seul château d'intérêt : outre La Villaumaire (xixe) et son style néogothique, il faut évoquer Bonaventure. Il ne reste, hélas ! que quelques vestiges de ce pavillon de chasse édifié par Charles VII. La légende y situe le début de ses amours avec Agnès Sorel, et l'on dit que c'est ce doux souvenir royal qui lui aurait valu ce nom de Bonaventure.

Mais les traces du passé s'effacent bien vite à l'abord d'Avoine : voici le modernisme le plus flamboyant (!) avec la fameuse centrale nucléaire. La première centrale, celle de 1963, baptisée « La Boule », fonctionnait à l'uranium naturel. Elle a été fermée en 1990 et abrite désormais un musée du nucléaire : attention, la partie « musée de l'Eau lourde » se visite uniquement sur rendez-vous, tout comme la partie qui est actuellement en fonctionnement. Ne pas oublier une pièce d'identité ! Quatre unités plus récentes, alimentées à l'uranium enrichi, restent en activité. Au pied de la centrale, on peut s'attarder sur l'étonnante Maison de la Confluence, bâtiment de verre et d'acier dessiné par l'architecte italien Fuksa, qui abrite l'Office de tourisme du Véron. Le bourg d'Avoine, propret et soigneusement aménagé, a profité à l'évidence du voisinage et fait montre de nombreux atomes... crochus avec EDF. Mais, avant de bénéficier des bienfaits du nucléaire, le Véron a dû profiter d'une autre source d'énergie. On y a compté de très nombreux moulins à vent au sommet des puys. Il s'agissait de caviers, dont le mécanisme était situé dans une cave recouverte de terre. Il ne subsiste que des vestiges de ces moulins sur le puy de la Batte, le puy Prieur ou encore aux Veaux.

Cette région du Véron a fait naître une grande controverse historique. Une tradition locale présente en effet les Véronais comme des descendants d'Arabes captifs en fuite, après la bataille de Poitiers en 732. Il est vrai que l'on rencontre ici des habitants au teint mat et que certains noms du cru semblent accréditer la piste arabe : il existe ainsi un cimetière « Mau » à Savigny et une famille « Aly ». Certains historiens modernes ont violemment combattu cette thèse et je me garderai bien de prendre position, mais cette hypothèse méritait d'être évoquée. De petites routes qui serpentent dans les vignes nous permettent de rejoindre Savigny-en-Véron, puis Beaumont-en-Véron, qui vont marquer la fin de notre périple chinonais. Dans le hameau de Bertignolles, situé en bord de Loire sur la commune de Savigny-en-Véron, on retrouve la tradition des mariniers ligériens : un atelier de fabrication artisanale de gabares propose des expositions de photos et de maquettes. Il faut toutefois préciser que la position du chenal de Loire sur la rive opposée a longtemps fait du Véron une région isolée, au regard des importants villages mariniers de la rive nord. Des deux bourgs, c'est celui de Savigny qui offre le plus de charme, mais le chemin qui ramène vers Beaumont et Chinon, ponctué de maisons nobles et de parcelles de vignes tout aussi respectables, constitue le plus agréable des desserts. A l'heure de refermer cette partie introductive et de conclure à regret cette visite de Chinon, je me remémore les mots de Maurice Bedel à propos de la ville : « Belle ? Oui, de la beauté d'un être qui, sa mission accomplie, se retire du mouvement du monde et coule ses jours dans une calme retraite. » La formule est jolie, mais Maurice Bedel, qui écrivait cela il y a déjà de longues années, n'a peut-être plus tout à fait raison. Petit à petit, sans se départir de son calme et de sa noblesse légendaires, Chinon a quitté sa retraite pour faire profiter le monde viticole de son expérience incomparable et retrouver son rang. Le réveil s'est fait sans bruit et sans éclat intempestif, mais il est réel. Faisant preuve de son équilibre coutumier, l'appellation a maintenant acquis une taille respectable. Suffisante pour ne plus sombrer dans l'oubli, mais raisonnable pour conserver une dimension humaine. Ce vignoble reste une terre d'artisanat, au sens le plus noble du terme, où les hommes déploient des soins « maniaques » pour récolter et élever de très grands vins. En laissant le temps au temps. Les grands vignobles sont sans doute éternels. Chinon, en bon élève de François Rabelais, est un exemple vivant de la fameuse formule : « Beuvez tousjours, ne mourrez jamais ! » Pour nous en convaincre, vidons donc un « piot » de ce noble nectar. A la bonne santé de son immortalité, mais aussi à la nôtre. Trincq !

Répertoire

des domaines

La tradition de polyculture chinonaise rendait difficile un inventaire exhaustif des propriétés. Beaucoup sont en effet trop petites ou trop peu spécialisées pour figurer dans cet ouvrage. Nous avons donc retenu en priorité les domaines qui présentaient une surface au moins égale à cinq hectares et qui vendaient leur production en bouteille.

Ce répertoire couvre bien sûr le Chinon rouge, mais aussi le Chinon rosé et le Chinon blanc. La couleur des verres fait chaque fois référence au type de vin proposé. Le nombre de verres colorés correspond à un classement, établi selon des critères de rapport qualité/prix. Il a été effectué à l'aveugle par un jury de professionnels locaux : vignerons, négociants, sommeliers, œnologues et techniciens.

Dans le souci de vous apporter tous les éléments nécessaires à votre choix, nous avons décidé d'ajouter le niveau de prix auquel les vins sont proposés.

Les pièces qui le symbolise font référence aux prix communiqués par les propriétaires pour les millésimes disponibles en 1995.

 moins de 30 francs

 entre 30 et 50 francs

 entre 51 et 70 francs

 plus de 70 francs

Les « deuxièmes marques » qui figurent dans ce répertoire sont suivies d'une flèche qui renvoie au domaine principal.

Abbaye (Domaine de l')

Communes : Chinon, Ligré, La Roche-Clermault, Rivière, Beaumont-en-Véron. **Propriétaire et chef de culture :** Michel Fontaine. **Maître de chai :** Monique Lecompte. **Superficie :** 50 ha. **Age moyen du vignoble :** 25 ans. **Encépagement :** cabernet-franc 49 ha, chenin 1 ha. **Production :** Chinon rouge 2 000 hl, Chinon rosé 200 hl, Chinon blanc 50 hl. **Vente au domaine et par correspondance :** S.A.R.L. Fontaine, Le Repos Saint-Martin, 37500 Chinon. Tél. : 47.93.35.96. **Visite :** Sylvie Fontaine, tous les jours, 9 h – 12 h / 14 h – 18 h 30. **Commercialisation :** vente directe 80 % dont export 10 %, négoce 20 %.

Avec 50 hectares répartis sur cinq communes, auxquels s'ajoutent les 5 hectares du Clos de la Collarderie, le Domaine de l'Abbaye fait presque figure de dinosaure à Chinon. Inutile de préciser qu'avec une telle surface Michel Fontaine nous a submergés d'échantillons afin d'illustrer sa production. Nous avons ainsi pu goûter le vin de l'année, issu d'un terroir de graves et récolté mécaniquement. Il présente de beaux arômes de cassis, mais se montre encore un peu fermé avec un excès de tanins. Le 93, issu de vieilles vignes sur limons à silex de plateaux, nous a un peu déçus, avouons-le, malgré un joli nez et une attaque souple : un vin assez moyen pour le millésime, mais qui démontre une vinification soignée. Si l'on excepte les vins du « Clos de la Collarderie » (voir cette entrée), il faut bien dire que nous avons été subjugués par le Chinon blanc de l'Abbaye. Avec un hectare de chenin planté sur les sols argilo-calcaires de Beaumont et de Ligré, et vendangé manuellement, Michel Fontaine réussit des prodiges qui illustrent à merveille ce que peut être le Chinon blanc : un nez de miel et une bouche souple et équilibrée de fruits secs d'une grande amplitude. Lorsque le millésime s'y prête, le domaine ne se prive d'ailleurs pas de se risquer sur les moelleux. Pour obtenir ces résultats flatteurs, Michel Fontaine a réaménagé son chai voilà quelques années, afin de se doter d'une cuverie inox avec contrôle de température et d'un système de réception et de triage de la vendange par tapis.

Précisons que l'habitude de la maison, et de Monique Lecompte qui dirige la vinification, est d'opérer pour les rouges un passage en chêne de l'Allier de six à vingt-quatre mois. Pour être tout à fait complet, il faut ajouter que Michel Fontaine a récemment fait l'emplette des vignes de la Devinière, sur lesquelles il produit du Touraine, et d'un petit vignoble en Saumurois. Il est également, avec Jean-Maurice et Raymond Raffault, l'un des associés de l'immense cave de Monplaisir à Chinon.

Il faut dire :
« Fontaine, je boirai
de ton vin. »

Allets (Les)

→ *Raifault (Domaine du)*

Alliet (Philippe)

Commune : Cravant-les-Coteaux. *Propriétaire :* Philippe Alliet. *Super-ficie :* 8 ha. *Age moyen du vignoble :* 30 ans. *Encépagement :* cabernet-franc 8 ha. *Production :* Chinon rouge 300 hl. *Vente au domaine et par correspondance :* Philippe Alliet, L'Ouche Monde, 37500 Cravant-les-Coteaux. Tél. : 47.93.17.62. *Visite :* Claude et Philippe Alliet, tous les jours (sur R.-V.). *Commercialisation :* vente directe 100 % dont export 20 %.

Philippe Alliet fait partie de la jeune génération chinonaise. Il est pourtant installé depuis dix-sept ans dans la vallée de la Vienne. Il s'agit du vignoble graveleux de son grand-père, dont il s'est attaché à moderniser les méthodes. Il cultive donc avec un soin jaloux, en vendanges manuelles avec des rendements limités à 40 hl/ha, et un sol travaillé sans désherbage. Sa vinification est tout aussi soignée : éraflage à 100 %, pigeage deux fois par jour, fermentation longue, élevage en barriques de douze à seize mois et mise sans collage ni filtration. Son vin se révèle très réussi et démontre qu'un Chinon de plaine peut aussi s'affirmer tannique et structuré. On peut lui reprocher une attaque un peu alcooleuse, mais ses arômes de fruits mûrs et sa persistance méritent des éloges. De quoi inciter en tout cas à patienter quelques années pour faire sauter les bouchons. Philippe Alliet se définit lui-même comme un passionné de dégustation, méticuleux et un peu timide, même s'il se révèle, tout comme ses vins, après quelques minutes. Il caresse actuellement un rêve, celui de se lancer dans le Chinon blanc, pour peu qu'il déniche la belle parcelle qui puisse lui convenir.

Angelliaume (Gérard)

Commune : Cravant-les-Coteaux. *Propriétaires :* Gérard et Martine Angelliaume. *Chef de culture :* Hervé Menier. *Maître de chai :* Gé-rard Angelliaume. *Œnologue-conseil :* C. Jung, laboratoire de Chinon. *Superficie :* 34 ha. *Age moyen du vignoble :* 30 ans. *Encépagement :* cabernet-franc 33 ha, cabernet-sauvignon 1 ha. *Production :* Chinon rouge 1 750 hl, Chinon rosé 50 hl. *Vente au domaine et par correspon-dance :* G.A.E.C. Angelliaume, La Croix de Bois, 37500 Cravant-les-Coteaux. Tél. : 47.93.06.35. *Visite :* Gérard Angelliaume, tous les jours (sur R.-V.). *Commercialisation :* vente directe 100 % dont export 5 %.

Un séjour à Chinon sans un détour par la Maison Angelliaume, c'est comme une soupe sans sel : chose insipide ! Gérard, 61 ans, mérite à lui seul le déplacement, pour son franc-parler autant que pour ses vins. Héritier de cinq générations de vignerons, il fait partie de ces visionnaires cravantais qui ont cru dans les années cinquante au développement du vignoble. C'est son séjour en Algérie qui lui a valu sa révélation : les vignes à perte de vue et la technicité qui y était développée lui ont ouvert les yeux. Le jeune Gérard a réintégré l'exploitation familiale avec la conviction qu'il ne fallait pas attendre : « A l'époque, tout le monde était méfiant, je savais qu'il faudrait dix ans pour être copié. J'ai décidé de prendre de l'avance. » Sitôt dit, sitôt fait : Léonce, le père, a bien dû suivre. La propriété s'est donc vite développée pour atteindre les 34 hectares que l'on connaît aujourd'hui. Gérard Angelliaume s'est rapidement imposé

117

Léonce, Martine et Gérard Angelliaume, trois générations qui en ont compté cinq avant elles.

comme un adepte forcené des techniques viticoles les plus modernes. La soufflerie qui sèche les grains à leur arrivée au chai, la régulation de température électronique programmable cuve par cuve, ou les cuves pyramidales dont la forme est destinée à serrer le chapeau de marc et à faciliter le foulage, voisinent avec le monte-charge « maison » – cœurs sensibles s'abstenir – qui permet d'accéder à ce chai ultramoderne. Inutile d'ajouter que la vendange est mécanique ! Il ne faut pas pour autant en conclure que Gérard Angelliaume a perdu son accent du terroir, bien au contraire. Sa cave, qu'il a lui-même creusée, est un modèle du genre, avec ses vieux outils en exposition dans des niches, et sa salle d'attente aménagée dans le tuffeau : « Comme ça, les clients peuvent attendre leur tour en savourant quelques rillettes et ils me fichent la paix... », indique-t-il avec malice. Gérard Angelliaume nous a présenté un vin d'un an, issu de vieilles vignes, qui a ravi les dégustateurs et démontré que les techniques les plus modernes pouvaient fonctionner si elles étaient bien utilisées : un nez puissant et complexe, une bouche qui allie rondeur et franchise pour un vin complet et équilibré. Gérard Angelliaume se plaît aussi parfois à effectuer quelques essais hors normes. Ainsi tenta-t-il en 1989 d'effectuer une mise très précoce – en décembre – de l'une de ses cuves. Nous avons pu comparer avec intérêt cette curiosité et le vin « standard » du millésime. Un résultat étonnant : si le second se montre typique de son année, nerveux et puissant, le « précoce » provoque un étonnement certain par sa bouche tendre et sa finale fondue et caressante. Je ne résiste pas au plaisir de vous livrer le commentaire du maître des lieux : « Ce vin-là, il n'est pas normal et c'est ce qui me plaît chez lui », avant d'ajouter avec un sourire entendu : « L'autre, il est classique mais c'est un vin con ! » Allons Gérard !

Aubert (Domaine Claude)

Commune : Cravant-les-Coteaux. **Propriétaire :** Claude Aubert. **Superficie :** 13 ha. **Age moyen du vignoble :** 25 ans. **Encépagement :** cabernet-franc 13 ha. **Production :** Chinon rouge 530 hl, Chinon rosé 60 hl. **Vente au domaine et par correspondance :** Claude Aubert, 4, rue Malvaut, 37500 Cravant-les-Coteaux. Tél. : 47.93.33.73. **Visite :** Mireille et Claude Aubert, tous les jours 9 h – 20 h. **Commercialisation :** vente directe 60 %, négoce 40 %.

Ce petit vignoble familial, situé sur les coteaux et sur les plaines de Cravant, est tenu par la famille Aubert depuis plusieurs générations. On ne s'étonnera donc pas de trouver dans la gamme les différentes expressions cravantaises : vins de Pâques des terrasses graveleuses et cuvées plus charpentées, issues des coteaux argilo-siliceux et argilo-calcaires. Les vendanges sont ici mécaniques et la vinification est traditionnelle. Le résultat est en tout cas convaincant et a séduit les dégustateurs par son élégance, sa typicité et son équilibre entre la matière et ses arômes subtils de fruits de la passion, de fruits rouges et d'orange. Un vin qui peut se boire rapidement ou attendre sans souci cinq à dix années en cave. Notons que le rosé de la maison affiche également une jolie personnalité.

Barnabés (Les)

→ *Raffault (Domaine Olga)*

Baronnie Madeleine (La)

→ *Couly-Dutheil*

Baudry (Domaine Bernard)

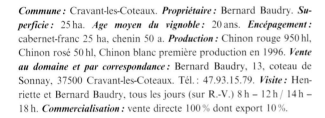

Commune : Cravant-les-Coteaux. **Propriétaire :** Bernard Baudry. **Superficie :** 25 ha. **Age moyen du vignoble :** 20 ans. **Encépagement :** cabernet-franc 25 ha, chenin 50 a. **Production :** Chinon rouge 950 hl, Chinon rosé 50 hl, Chinon blanc première production en 1996. **Vente au domaine et par correspondance :** Bernard Baudry, 13, coteau de Sonnay, 37500 Cravant-les-Coteaux. Tél. : 47.93.15.79. **Visite :** Henriette et Bernard Baudry, tous les jours (sur R.-V.) 8 h – 12 h / 14 h – 18 h. **Commercialisation :** vente directe 100 % dont export 10 %.

Drôle d'itinéraire que celui de Bernard Baudry. Il était bien issu d'une famille de vignerons de Cravant – son frère, Jean, exploite le domaine familial des Perrières – mais il a débuté comme conseiller viticole au laboratoire de Tours au côté de Jacques Puisais, après des études d'œnologie à Beaune. Cette

expérience formatrice a duré cinq ans, avant que le démon de la vigne ne le pousse à s'installer à son compte. Il s'en est d'ailleurs fallu de peu : c'est l'héritage d'un petit domaine de 2 hectares qui l'a retenu, au moment même où il s'apprêtait à aller faire profiter les Rhodaniens de ses lumières. Il semblait bien sûr assez difficile de nourrir sa famille avec une telle surface, mais notre homme s'est dit qu'il trouverait bien quelques vignes à louer. Le Chinon lui a largement rendu cette décision, puisque Bernard Baudry s'est vite distingué comme l'un des plus fins vinificateurs de l'appellation. Agrandi en

◄ *Toute la foi de Bernard Baudry repose sur son terroir.*

1982, le domaine compte désormais 25 hectares. Cette surface lui permet d'appliquer avec succès ses principes de vinification parcellaire. Nous avons ainsi goûté sa cuvée « Les Grézeaux », produite sur 3 hectares de vieilles vignes (35 à 60 ans) d'un terroir de graviers – d'où « Grézeaux » – au sous-sol argilo-siliceux. Il est récolté manuellement, on s'en doute, avec de faibles rendements et un élevage en bois de sept mois : des demi-muids de la région exclusivement. Il en résulte un vin au nez intense de fruit bien mûr et à la bouche pleine et longue, finement boisée, qu'il faudra attendre au moins sept ans. Mais cette cave des bords de Vienne réserve d'autres surprises. Attention, celle de Jean et Christophe est située juste à côté, encore qu'une erreur ne serait pas grave, tant les Baudry se situent bien dans la hiérarchie. Les amateurs de vins jeunes seront comblés avec « Les Granges » produit sur 7 hectares de jeunes vignes sur sables et graviers, ou le Domaine Bernard Baudry qui allie avec subtilité les vins de graviers et ceux du coteau argileux. Un scoop également pour tous ses admirateurs : si l'on connaissait déjà ses beaux rosés, Bernard Baudry vient de planter 50 ares de chenin qui permettront de juger de ses capacités de vinificateur en blanc dès 1996. Pour terminer, il faut ajouter que la petite maison et sa cave attenante sont un vrai régal pour les yeux, avec leurs abords fleuris et l'accueil des poules sur le coteau dominant. Et, comme si tout cela ne suffisait pas à ce passionné aussi simple que sympathique, notre homme est l'un des heureux propriétaires du musée du Vin et de la Tonnellerie de Chinon.

Beauséjour (Domaine de)

Commune : Panzoult. **Propriétaires :** Gérard et David Chauveau. **Directeur :** Gérard Chauveau. **Chef de culture :** Claude Narbonne. **Maître de chai :** David Chauveau. **Œnologue-conseil :** Francis Duval-Arnoult. **Superficie :** 25 ha. **Age moyen du vignoble :** 22 ans. **Encépagement :** cabernet-franc 25 ha. **Production :** Chinon rouge 1 500 hl, Chinon rosé 60 hl. **Vente au domaine et par correspondance :** E.A.R.L. Gérard et David Chauveau, Domaine de Beauséjour, 37220 Panzoult. Tél. : 47.58.64.64. **Visite :** Marie-Claude Chauveau, tous les jours (dimanche sur R.-V.). **Commercialisation :** vente directe 75 % dont export 20 %, négoce 25 %.

Le domaine de Beauséjour connaît un essor vigoureux.

Rien ne semblait destiner les Chauveau à devenir vignerons. Pourtant, en 1951, Jacques Chauveau, alors médecin, fait l'emplette d'une ferme à Panzoult. Rien de compromettant jusqu'ici. En 1968, son fils Gérard, architecte-urbaniste à Paris, en devient propriétaire et tombe sous le charme. Il décide aussitôt d'en faire une vraie exploitation viticole et plante ses premières vignes dès l'année suivante. Échanges et achats lui permettront d'amener la propriété à son niveau actuel : 78 hectares de terres dont 25 hectares de vignes d'un seul tenant, abritées des vents du nord par les bois de la propriété. En bon architecte, il se construit la maison de maître dans le style et avec les matériaux du pays en 1978. La même année voit naître le chai semi-enterré de 500 m², avec ses cuves inox dernier cri. Le dernier aménagement de cet ensemble impressionnant sera la cave, creusée au fond du chai en 1986 pour le mûrissement des bouteilles, puis la rénovation de la ferme d'origine pour accueillir les bureaux de la propriété. Les vins de Beauséjour, désormais vinifiés par David, le petit-fils de Jacques Chauveau, se caractérisent par une dominante de cerise : des Chinon de printemps, à apprécier dans leur jeunesse.

Béguineries (Domaines des)

Commune : Chinon. Propriétaire : Jean-Christophe Pelletier. Superficie : 7 ha. Age moyen du vignoble : 35 ans. Encépagement : cabernet-franc 7 ha. Production : Chinon rouge 250 hl. Vente au domaine et par correspondance : Jean-Christophe Pelletier, Domaine des Béguineries, Saint-Louand-les-Mollières, 37500 Chinon. Tél. : 47.93.04.30. ou 07.66.57.44. Visite : Jean-Christophe Pelletier, tous les jours (sur R.-V.). Commercialisation : vente directe 60 %, négoce 40 %.

Quel joli vin que celui-là ! Jean-Christophe Pelletier a réussi avec mention le difficile millésime 94 : un nez de fruits rouges très mûrs et presque confits, une belle attaque en bouche qui confirme le fruit espéré et de magnifiques arômes fumés, légèrement boisés. « Un très bon vin typé de garde », a noté l'un de nos dégustateurs avec enthousiasme, résumant ainsi l'impression générale. Il faut préciser que Jean-Christophe Pelletier a plus d'une corde à son arc. Depuis une dizaine d'années, ce passionné de vin travaillait aux vignes familiales, parallèlement à celles du Château de Saint-Louand (voir cette entrée). En 1993, il a repris en main officiellement les destinées du petit domaine, dont la famille de sa mère avait fait l'emplette juste après la guerre. En fait, « Les Béguineries » désignaient une partie des vignes de son grand-père, et notre homme, séduit par ce joli nom printanier, décida de l'adopter pour l'ensemble de sa propriété. Sur ses coteaux argilo-calcaires, Jean-Christophe s'attache à labourer et à désherber sous le rang. Les vendanges sont manuelles avec de faibles rendements : un soin dicté par l'âge respectable de ses vignes. En vinificateur attentionné, Jean-Christophe Pelletier est un adepte de subtils assemblages de cuvées et de terroirs. Ajoutons que ses vins sont élevés durant six mois en fûts de chêne de trois à quatre ans. Un vigneron à suivre avec beaucoup d'attention.

◄ Vigneron expert et vinificateur averti,
Jean-Christophe Pelletier
a plusieurs cordes à son arc.

Bel Air (Domaine de)

Commune : Cravant-les-Coteaux. **Propriétaires :** Raymond et Jean-Louis Loup. **Superficie :** 12 ha. **Age moyen du vignoble :** 30 ans. **Encépagement :** cabernet-franc 12 ha. **Production :** Chinon rouge 600 hl. **Vente au domaine et par correspondance :** Raymond et Jean-Louis Loup, Domaine de Bel Air, 37500 Cravant-les-Coteaux. Tél. : 47.93.07.44. **Visite :** Raymond et Jean-Louis Loup, tous les jours (sur R.-V.). **Commercialisation :** vente directe 70 %, négoce 30 %.

Les Loup ne sont pas des expansifs : difficile ici d'obtenir beaucoup de précisions sur la culture, la vinification ou l'histoire du domaine. On sait ainsi que les vignes sont labourées et que les vendanges sont mécaniques, que la vinification est classique et que les terroirs se situent sur les coteaux argilo-calcaires et siliceux de Cravant. Quant au vin – nous avons goûté une bouteille de l'année –, il se montre sympathique et sans prétention, avec un nez fruité et une attaque acidulée. Un gentil Chinon à boire jeune.

Bellonière (Manoir de la)

Commune : Cravant-les-Coteaux. **Propriétaires :** Béatrice et Patrice Moreau. **Superficie :** 20 ha. **Age moyen du vignoble :** 30 ans. **Encépagement :** cabernet-franc 20 ha. **Production :** Chinon rouge 1 000 hl. **Vente au domaine et par correspondance :** E.A.R.L. Patrice et Béatrice Moreau, La Bellonière, 37500 Cravant-les-Coteaux. Tél. : 47.93.45.14. **Visite :** Patrice Moreau, du lundi au vendredi (sur R.-V.). **Commercialisation :** vente directe 40 %, négoce 60 %.

Cette belle demeure tourangelle dont les origines doivent remonter au XVe siècle revient de loin. Après une période faste qui vit le manoir habité par une succession de gouverneurs de la ville de Chinon – l'un d'eux fut même écuyer de Monsieur, frère du roi –, le domaine est morcelé en 1865. Le pire restait à

venir puisque, après plusieurs ventes, il est acheté en 1926 par d'obscurs acquéreurs en mal de trésor. Ceux-ci ne trouvent rien et cèdent le manoir en 1952 à un... éleveur de porcs. Le superbe logis de moellons se voit ainsi entouré de fange et de hangars disgracieux. Il faudra attendre 1967 pour que des amateurs de vieilles pierres parviennent à racheter la Bellonnière et à en entreprendre la restauration. Patrice Moreau y exerce désormais ses talents de vigneron, une tradition dans la famille, ce qui est quand même plus valorisant pour de vieilles pierres qu'un environnement porcin. Notons que le manoir possède un escalier en fer à cheval du XVIIIe, et un autre à vis, qui se targue d'un emmarchement de 1,80 m. Les 20 hectares du domaine sont situés principalement sur les plaines graveleuses de la vallée de la Vienne. Nous avons pu goûter la cuvée « Vieilles Vignes » de la maison. Elle bénéficie de faibles rendements – 35 hl/ha – et d'un élevage en bois prolongé jusqu'à l'automne qui suit la récolte. Nous avons beaucoup apprécié sa jolie robe rubis, son nez fruité, son attaque très droite et souple et son bon équilibre général. C'est un vin qui devrait se conserver quelques années et qui ne dépare pas l'appellation.

Bonnelière (Château de la) Ⓑ 🍷🍷🍷🍷🍷

Commune : La Roche-Clermault. **Propriétaire :** Pierre Plouzeau. **Chef de culture et maître de chai :** Pascal Hugou. **Superficie :** 6 ha. **Age moyen du vignoble :** 12 ans. **Encépagement :** cabernet-franc 6 ha. **Production :** Chinon rouge 300 hl. **Vente au domaine et par correspondance :** Pierre Plouzeau, Château de la Bonnelière, 37500 La Roche-Clermault. Tél. : 47.93.16.34. **Visite :** Pierre Plouzeau, tous les jours (sur R.-V.). **Commercialisation :** vente directe 100 %, dont export 8 %, diffusé par Pierre Plouzeau, 54, faubourg Saint-Jacques, 37500 Chinon.

En arpentant le Chinonais, nous avions été frappés par ce superbe petit château du XVIe ę XVIIe, entouré de vignes, avec son pigeonnier à échelle tournante, son cèdre contemporain de Louis XIV et son chai ultra-moderne. Autant l'avouer, nous avions chipé quelques cerises succulentes en profitant de la quié-tude de l'endroit. J'espère que l'on nous pardonnera. Le château de la Bonnelière a en fait été édifié par une riche famille de la magistrature chinonaise, les Breton de la Bonnelière. Il fut vendu comme bien national le 13 vendémiaire de l'an III. C'est en 1846 qu'il devint la propriété de la famille Plouzeau, qui y pratiqua alors des cultures variées, selon l'habitude locale. En 1929, Pascal Plouzeau, en rupture avec son père, décide de créer à Chinon une maison de négoce. Cette démarche est pour le moins originale pour

l'époque, puisque le marché du négoce chinonais se répartit entre la maison Couly et Pascal Plouzeau. Les deux maisons se distingueront très vite par des approches différentes : aux Couly la qualité maniaque, à Plouzeau les quantités. Les choses ont un peu changé aujourd'hui et Pierre Plouzeau, le fils de Pascal, a entrepris de donner à la maison des lettres de noblesse. En 1976, c'est lui qui reprend le négoce et le château. Il décide aussitôt de rénover la demeure et le vignoble qui la jouxte. Celui-ci est idéalement situé sur un plateau à légère pente sud qui domine la rive droite de la Vienne, avec un sol argilo-calcaire. Il y adjoint un chai de vinification dernier cri en 1989, avec une cuverie inox et un système de contrôle des températures de fermentation. Ce vin, récolté pour moitié à la main et pour moitié à la machine a, en tout cas, fait l'unanimité. Le plaisir débute par une lumineuse robe violacée et se poursuit immédiatement par un nez intense de fruits blancs et de poivrons. Quant à la bouche, qui démarre tout en souplesse, elle séduit par sa rondeur pulpeuse, ses arômes de cassis et son équilibre général. Malgré l'âge encore tendre de ses vignes, Pascal Hugou, le vinificateur de la maison, a réussi à faire un grand Chinon de garde. Bravo ! Il serait dommage de quitter la maison sans ajouter que Pierre Plouzeau possède un autre domaine en Richelais, la Garrelière, qui appartint au duc de Richelieu. On peut également s'attarder sur les caves de tuffeau de la rue Voltaire à Chinon et sur les Bourgueil, Saint-Nicolas et autres Saumur-Champigny de la maison. Ici, le cabernet-franc, on connaît !

▲ *Pierre Plouzeau s'est taillé une réputation de négociant en vins de qualité.*
Le porche de la Bonnelière : on peut le voir en peinture. ▲
◄ *Le pigeonnier de la Bonnelière.*

Bouquerries (Domaine des)

Commune : Cravant-les-Coteaux. **Propriétaires :** Gérard et Guillaume Sourdais. **Chef de culture et maître de chai :** Gérard Sourdais. **Œnologue-conseil :** Laboratoire Litov. **Superficie :** 26 ha. **Age moyen du vignoble :** 20 ans. **Encépagement :** cabernet-franc 26 ha. **Production :** Chinon rouge 1 200 hl. **Vente au domaine et par correspondance :** G.A.E.C. Domaine des Bouquerries, Gérard et Guillaume Sourdais, 4, Les Bouqueries, 37500 Cravant-les-Coteaux. Tél. : 47.93.10.50. **Visite :** Gérard Sourdais, tous les jours (sur R.-V.). **Commercialisation :** vente directe 50 %, négoce 50 %.

Le père de Gérard Sourdais s'est installé ici en 1935. C'est à lui que l'on doit la création de cette cave creusée dans le tuffeau, à coups de pic et de barre à mine. Les cinq cents mètres cubes de pierre ont été extraits en brouette ! Gérard Sourdais a repris la suite de son père en 1965 et assume désormais la continuité familiale du domaine avec l'aide de son fils Guillaume. Nous avons dégusté avec beaucoup de plaisir une cuvée de vieilles vignes – certaines ont 60 ans –, issue de 12 hectares parmi les 26 de la propriété. Un vin solide au nez chaud et épicé avec une pointe de terre et une attaque généreuse et puissante. Nos dégustateurs ont noté avec enthousiasme que ce vin mériterait d'attendre un peu. L'un d'eux a même ajouté qu'il s'agissait, je cite, « d'une bonne médecine rabelaisienne ». Il faut dire que les Sourdais mettent un point d'honneur à vinifier avec soin les vins de la propriété : fermentation en cuve inox, élevage en bois dans la fameuse cave, et mise tardive. Leur vignoble est réparti sur les graves de plaine et les coteaux d'argile et de cornuelles de Cravant.

Brunet (Pascal)

Commune : Panzoult. **Propriétaire :** Pascal Brunet. **Œnologue-conseil :** Philippe Gabilleau. **Superficie :** 8 ha. **Age moyen du vignoble :** 20 ans. **Encépagement :** cabernet-franc 8 ha. **Production :** Chinon rouge 350 hl, Chinon rosé 30 hl. **Vente au domaine et par correspondance :** Pascal Brunet, Étilly, 37220 Panzoult. Tél. : 47.58.62.80. **Visite :** Pascal Brunet, du lundi au samedi (sur R.-V.) 10 h – 12 h 30 / 14 h – 19 h. **Commercialisation :** vente directe 100 %.

Pascal Brunet a repris en 1980 la petite exploitation familiale située sur les coteaux argilo-calcaires de la rive droite de la Vienne, exposés au sud. Il faut préciser que le domaine était adepte de la polyculture et que notre homme s'est attaché à poursuivre dans cette voie. C'est pourquoi la vigne représente désormais les deux tiers de son activité, le reste étant consacré à un élevage de chèvres. Voilà une intégration heureuse : ici, on peut goûter les vins de Chinon en situation, accompagnés des fromages fermiers de la maison. Malgré cette activité diversifiée, Pascal Brunet se montre très attentif à la culture et à la vinification. Il pratique ainsi un labour et un grattage de l'inter-rang, et un désherbage sous le rang. Les vendanges sont manuelles pour la moitié de la propriété et mécaniques pour le reste, avec, dans tous les cas, des rendements bien maîtrisés : 35 à 40 hl en récolte manuelle. La vinification est tout aussi soignée, avec un élevage en bois – jamais neuf – de trois à dix mois. Son nez de fruits rouges, délicatement mentholé, emporte déjà l'adhésion, mais chacun s'accorde sur sa bouche vive aux arômes végétaux, très typique d'un cabernet-franc. « Un vin au dialogue facile », a noté un dégustateur ; n'hésitons donc pas à entamer la conversation.

Caillères (Les)

→ *Chapelle (Domaine de la)*

Carroi-Portier (Domaine du)

Commune : Cravant-les-Coteaux. **Propriétaire :** Gérard Spelty. **Superficie :** 14 ha 15 a. **Age moyen du vignoble :** 30 ans. **Encépagement :** cabernet-franc 14 ha, chenin 15 a. **Production :** Chinon rouge 600 hl, Chinon rosé 20 hl, Chinon blanc 7 hl. **Vente au domaine et par correspondance :** Gérard Spelty, Le Carroi-Portier, 37500 Cravant-les-Coteaux. Tél. : 47.93.08.38. **Visite :** Gérard Spelty, tous les jours (sur R.-V.). **Commercialisation :** vente directe 100 %, dont export 10 %.

Cette grande propriété compta à sa plus belle époque, vers 1930, une soixantaine d'hectares. Les aléas des héritages et des partages l'ont aujourd'hui ramenée à 25 hectares dont 14 plantés de vignes. Gérard Spelty y a pris la suite de ses parents, Jean et Andrée, en 1978. Notre homme propose en fait deux types de vin. Le Domaine du Carroi-Portier est issu de 11 hectares représentatifs de la diversité cravantaise. Les plateaux et la plaine permettent de beaux assemblages de vins issus de graviers, d'argilo-calcaires et d'argilo-siliceux. De quoi garantir le plus parfait des équilibres. Le Clos de Neuilly est, lui, vinifié à part : cette vigne de plus de 40 ans – 3 hectares sur terroir argilo-siliceux – bénéficie d'un élevage en bois plus long et n'est commercialisée que deux ans après la récolte. Il faut souligner que Gérard Spelty, en vrai fan des vendanges manuelles – labour et grattage en prime –, réunit non moins de soixante coupeurs pour l'ensemble de sa propriété. Du Clos de Neuilly, nous avons bien aimé le nez toasté et épicé, au fruit discret, et la bouche de fruits rouges, ronde et puissante. Un vin de petite garde mais de grande élégance pour amateurs impatients.

Chai des Loges (Le)

Commune : Chinon. **Propriétaire :** E.A.R.L. Marie-Pierre et Nicole Raffault. **Chefs de culture et maîtres de chai :** Marie-Pierre et Pierre Raffault. **Superficie :** 8 ha 71 a. **Age moyen du vignoble :** 20 ans. **Encépagement :** cabernet-franc 8 ha 71 a. **Production :** Chinon rouge 490 hl. **Vente au domaine et par correspondance :** E.A.R.L. Marie-Pierre et Nicole Raffault, Les Loges, 37500 Chinon. Tél. : 47.93.17.89. **Visite :** Pierre, Nicole et Marie-Pierre Raffault, tous les jours (sur R.-V.). **Commercialisation :** vente directe 80 %, négoce 20 %.

Pierre Raffault, fils d'Olga – voir cette entrée –, s'est installé en 1976 au Chai des Loges, sur la route de Cravant-les-Coteaux. Pierre vient de prendre sa retraite, mais, pour perpétuer cette riche tradition viticole, il a désormais été rejoint par sa fille Marie-Pierre, dûment formée aux techniques de culture et de vinification. C'est elle qui apporte une – délicate – touche de modernisme à ce domaine dont les pratiques sont restées très classiques : vignes labourées, vendanges manuelles, élevage en bois. Le vin des Loges nous a semblé un rien trop discret : son nez d'épices est assez timide et sa bouche douce manque de longueur. Il s'agit néanmoins d'un très gentil Chinon classique, à boire dans sa tendre jeunesse.

Chanteaux (Les)

Commune : Chinon. *Propriétaire :* S.C.I. Couly-Dutheil. *Directeurs :* Jacques et Pierre Couly. *Chef de culture :* Christian Duchesne. *Maître de chai :* Laurent Landry. *Œnologue-conseil :* Bertrand Couly. *Superficie :* 5 ha. *Age moyen du vignoble :* 7 ans. *Encépagement :* chenin 5 ha. *Production :* Chinon blanc 250 hl. *Vente par correspondance :* Couly-Dutheil, 12, rue Diderot, 37500 Chinon. Tél. : 47.93.05.84. *Visite :* Couly-Dutheil, 12, rue Diderot, 37500 Chinon, du lundi au vendredi (sur R.-V.) 8 h – 12 h / 13 h 45 – 17 h 45. *Commercialisation :* vente directe 100 % dont export 10 %.

Dans la constellation Couly-Dutheil – c'est vrai que cela ressemble à la piste aux étoiles –, Les Chanteaux tiennent le rôle de l'auguste. S'il est blanc, ce Chinon n'a toutefois rien d'un clown. Il nous a laissés sur notre faim, malgré un nez puissant de genêt et de poire et une bouche de fleurs de pissenlit. Pour tout dire, il se montre assez atypique pour un chenin : un rien trop court, avec une acidité dominante qui gâche ses qualités. Mais Bertrand Couly, le fils de la famille, vinificateur émérite, possède un si grand talent, que l'on peut considérer ce petit écart comme une faiblesse passagère. Le vignoble des Chanteaux est situé à Chinon sur les coteaux de Saint-Louans.

Chapelle (Domaine de la)

Commune : Cravant-les-Coteaux. *Propriétaire :* Philippe Pichard. *Superficie :* 15 ha. *Age moyen du vignoble :* 25 ans. *Encépagement :* cabernet-franc 15 ha. *Production :* Chinon rouge 700 hl. *Vente au domaine et par correspondance :* Philippe Pichard, Domaine de la Chapelle, 9, Malvault, 37500 Cravant-les-Coteaux. Tél. : 47.93.42.35. *Visite :* Philippe Pichard, tous les jours 15 h – 19 h. *Commercialisation :* vente directe 70 %, négoce 30 %.

C'est une vieille chapelle en ruines qui a donné son nom au domaine. Le manque d'entretien a, hélas ! eu raison de ces vieux murs dont il ne reste aujourd'hui que quelques traces, les emplacements des vitraux notamment. Philippe Pichard a repris les rênes du domaine de ses grands-parents en 1983 : la cinquième génération de vignerons à l'exploiter. Il comptait alors 5 hectares, il en cultive 15 aujourd'hui sur deux terroirs cravantais : le premier, graveleux et très caillouteux, et le second, argilo-siliceux. En bon vigneron méticuleux, Philippe Pichard veille à un égrappage soigné et vinifie à température contrôlée – 28 à 30° – sur une huitaine de jours avant quinze jours de cuvaison puis élevage en bois de six à huit mois. Notre homme est un adepte de subtils assemblages entre ses parcelles. Il propose ainsi deux types de vins. « Les Caillères » – et non pas les « cuillères » comme la calligraphie de l'étiquette pourrait le laisser croire – est un vin typé « jeune », souple et fruité, à boire rapidement. Ses « Vieilles Vignes » sont, elles, issues de ceps de trente ans et plus, situés en majorité sur les plateaux argilo-siliceux. L'orientation nord-sud des rangs favorise la maturation du raisin. Il en résulte une cuvée au nez frais de fraises écrasées et de fruits secs et à la bouche harmonieuse aux tanins marqués. Une belle référence traditionnelle assurément, qui se révélera après quelques années de patience ! Notons que cette jolie cave située sur la route de Cravant renferme d'autres trésors pour les amoureux d'objets insolites, avec de nombreux outils viticoles anciens.

Chauveau (Domaine Daniel)

Commune : Cravant-les-Coteaux. **Propriétaires :** Daniel et Christophe Chauveau. **Œnologue-conseil :** Francis Duval-Arnoult. **Superficie :** 10 ha 60 a. **Age moyen du vignoble :** 30 ans. **Encépagement :** cabernet-franc 10 ha 60 a. **Production :** Chinon rouge 500 hl, Chinon rosé 20 hl. **Vente au domaine et par correspondance :** E.A.R.L. Daniel et Christophe Chauveau, Pallus, 37500 Cravant-les-Coteaux. Tél. : 47.93.06.12. **Visite :** Daniel et Christophe Chauveau, du lundi au samedi (sur R.-V.) 9 h – 12 h 30 / 14 h – 19 h. **Commercialisation :** vente directe 100 % dont export 25 %.

Le docteur Chauveau était médecin à Paris lorsqu'il fit l'acquisition de ce domaine en 1936. Une façon sans doute de s'investir dans le rouge à l'arrivée du Front populaire. Son fils Daniel reprit l'exploitation en 1959 et fut rejoint par son propre enfant, Christophe, en 1988. Chacun s'est attaché à faire évoluer la propriété qui compte aujourd'hui un peu plus de dix hectares et présente la particularité, rare dans la région, de réaliser un quart de ses ventes à l'étranger. Les vieilles vignes de la propriété sont situées sur les coteaux adossés à la forêt de Chinon, sur des sols argilo-calcaires. Les vendanges sont manuelles pour les ceps les plus anciens. Dans le chai, d'une propreté clinique, Daniel et Christophe pratiquent une vinification classique, en cuvaison longue à température contrôlée, avant de procéder à un élevage en bois. Ils savent en tout cas tirer le meilleur parti de ce que leur fournit la nature : le vin du domaine a de la classe et présente un nez riche et charmeur de fruits rouges. La bouche est à l'avenant : « Une gamme mélodique en majeur », a noté avec poésie l'un des dégustateurs, qui qualifie son attaque de « joyeuse ». Un autre le verrait bien sur un canard aux navets et aurait sûrement aimé emmener la bouteille. Une belle réussite assurément !

▲ *Daniel Chauveau possède une intéressante collection de tire-bouchons.*

Chesnaies (Domaine les)

Commune : Cravant-les-Coteaux. **Propriétaires :** Béatrice et Pascal Lambert. **Maître de chai :** Pascal Lambert. **Œnologue-conseil :** Francis Duval-Arnoult. **Superficie :** 8 h 50 a. **Age moyen du vignoble :** 27 ans. **Encépagement :** cabernet-franc 8 ha 15 a, chenin 35 a. **Production :** Chinon rouge 360 hl, Chinon rosé 30 hl, Chinon blanc 20 hl. **Vente au domaine et par correspondance :** Béatrice et Pascal Lambert, Les Chesnaies, 37500 Cravant-les-Coteaux. Tél. : 47.93.13.79. **Visite :** Béatrice et Pascal Lambert, du lundi au vendredi (samedi sur R.-V.) 8 h – 12 h / 14 h – 19 h. **Commercialisation :** vente directe 70 % dont export 5 %, négoce 30 %.

Béatrice et Pascal Lambert se sont installés aux Chesnaies le 1er anier 1987 I il existe des façons plus discutables de commencer une nouvelle année ! Ils y ont tout créé : la maison d'habitation en 1987, aussitôt suivie du chai et de la cuverie, puis le caveau de vieillissement et de dégustation en 1988 et 1989. Parallèlement, ils ont entrepris de remettre en état les parcelles de vieilles vignes et surtout d'étendre le domaine qui ne comptait que 4 hectares 20 à leur arrivée. Ils ont aujourd'hui doublé la mise initiale, ajoutant même en 1993 une parcelle de 35 ares de chenin. Passionnés et motivés, les Lambert pratiquent une culture traditionnelle avec un labourage sur une partie du domaine et des vendanges en majorité manuelles. Leur terroir est situé pour partie sur les coteaux argileux de Cravant exposés au sud et pour le reste sur les terrasses à dominante de graves de la vallée, plus précoces mais aussi plus gélives. La vinification est tout aussi soignée, avec un long passage en bois de 10 à 12 mois. C'est d'ailleurs ce boisé un peu marqué qui a perturbé les dégustateurs : son nez est très vanillé et grillé mais annonce une jolie bouche onctueuse de fruits secs et de framboises. Un vin à apprécier jeune qui sort un peu des canons chinonais. Il faut noter que Béatrice et Pascal Lambert ont décidé de profiter de leur implantation en bordure de la route qui conduit de Chinon à Cravant-les-Coteaux pour développer avec talent l'accueil à la cave et la vente aux particuliers.

▲ *La vigne sert d'écrin à l'amour conjugal de Béatrice et Pascal Lambert.*

129

Chêne vert (Clos du)

→ *Joguet (Charles)*

Clos (Les)

B

→ *Logis de la Bouchardière (Le)*

Collarderie (Clos de la)

B C

Commune : Chinon. **Propriétaire et chef de culture :** Michel Fontaine. **Maître de chai :** Monique Lecompte. **Superficie :** 5 ha. **Age moyen du vignoble :** 70 ans. **Encépagement :** cabernet-franc 5 ha. **Production :** Chinon rouge 200 hl. **Vente au domaine et par correspondance :** S.A.R.L. Fontaine, Le Repos Saint-Martin, 37500 Chinon. Tél. : 47.93.35.96. **Visite :** Sylvie Fontaine, tous les jours 9 h – 12 h / 14 h – 18 h 30. **Commercialisation :** vente directe 100 % dont export 5 %.

Parmi les terres de Michel Fontaine (voir aussi « Le Domaine de l'Abbaye »), le Clos de la Collarderie occupe une place à part. Ces 5 hectares de tuffeau font l'objet de tous les soins : vendanges manuelles et vignes labourées notamment. Dans la fraîcheur du chai, le travail de Monique Lecompte est tout aussi méticuleux. La cuvée bénéficie d'une fermentation longue de cinq semaines et d'un élevage en fûts de dix-huit mois. Précisons que 10 % de ces fûts sont renouvelés chaque année. Tout cela justifie, avant même le débouchage, le qualificatif de « Cuvée Unique » attribué à ce vin. Puisqu'un bonheur n'arrive jamais seul, le contenu de la bouteille se montre à la hauteur de l'épithète, comme nous l'avons vérifié sur deux grandes années : 1989 et 1990. Le plus jeune affiche de jolis arômes de fruits mûrs confits et révèle vite sa rondeur et son équilibre. Tout au plus regrette-t-on une finale un rien trop courte. Mais voici le 89 : on retrouve les fruits cuits de son jeune frère, mais amplifiés par un festival de poivrons et de torréfaction. Il s'en dégage un sentiment de générosité que la bouche vient confirmer par une attaque ronde et franche. La perfection n'est pas très loin, aidée, il est vrai, par l'un des plus grands millésimes du siècle. Dieu qu'il le représente bien : un très grand Chinon !

Colombier (Domaine du)

B

Commune : Beaumont-en-Véron. **Propriétaire :** Yves Loiseau. **Œnologue-conseil :** Francis Duval-Arnoult. **Superficie :** 19 ha. **Age moyen du vignoble :** 25 ans. **Encépagement :** cabernet-franc 18 ha 20 a, chenin 80 a. **Production :** Chinon rouge 850 hl, Chinon rosé 30 hl, Chinon blanc première récolte en 1995. **Vente au domaine et par correspondance :** Yves Loiseau, Domaine du Colombier, 16, rue du Colombier, 37420 Beaumont-en-Véron. Tél. : 47.58.43.07. **Visite :** Yves Loiseau, du lundi au samedi (sur R.-V.) 8 h – 12 h / 14 h – 19 h. **Commercialisation :** vente directe 100 % dont export 50 %.

La cave du Colombier est un vaste coffre-fort où les bouteilles peuvent vieillir en toute quiétude.

Quatre générations de Loiseau se sont succédé dans ce colombier du Véron. Yves, le Loiseau d'aujourd'hui, a commencé à y exercer ses talents en 1963, avant de prendre la direction du domaine en 1978. Calme et réservé, Yves Loiseau est pourtant un élément important de la planète Chinon. Notre homme est un adepte des fermentations maîtrisées – il vinifie à la température relativement basse de 25° – et d'un élevage mixte en bois et en cuve pour une mise aux premières chaleurs de l'été, voire à l'hiver qui suit dans certains cas. Les vendanges sont mécaniques et les sols soigneusement désherbés sur ces coteaux argilo-calcaires et argilo-siliceux du Véron. Petite déception avec le vin « standard » du domaine, qui nous a semblé sympathique mais un peu court, surtout compte tenu du millésime. La cuvée de vieilles vignes semble beaucoup mieux illustrer les capacités d'Yves Loiseau. Elle possède un nez très complexe de dattes confites et de framboises, mêlé d'une touche animale de belle facture. La bouche est riche, fumée et grillée, très harmonieuse et porte la marque d'une excellente vinification. Il s'agit manifestement d'un futur « rat de cave » qui devrait pouvoir attendre quelques années dans le noir, sans prendre peur, et qui mérite nos quatre verres malgré un prix assez élevé. Notons qu'Yves Loiseau est un spécialiste de l'exportation, puisque ce domaine, qui vend toute sa production en direct, réalise la moitié de son chiffre d'affaires au-dehors de nos frontières.

Commanderie (Domaine de la)   (B)

Communes : Panzoult et Cravant-les-Coteaux. **Propriétaire :** Philippe Pain. **Superficie :** 20 ha. **Age moyen du vignoble :** 19 ans. **Encépagement :** cabernet-franc 19 ha 40 a, cabernet-sauvignon 60 a. **Production :** Chinon rouge 1 100 hl, Chinon rosé 150 hl. **Vente au domaine :** Philippe Pain, Domaine de la Commanderie, La Commanderie, 37220 Panzoult. Tél. : 47.93.39.32. **Visite :** Maryse et Philippe Pain, tous les jours (sur R.-V.). **Commercialisation :** vente directe 80 %, négoce 20 %.

Manifestement, il faut manger de ce Pain-là! Ou tout au moins le déguster. Malgré ses vendanges mécaniques et ses rendements assez élevés – qui restent toutefois dans les limites du raisonnable –, Philippe Pain a enchanté les dégustateurs. Pour tout dire, il a manqué de peu la note maximale. Son fruit, sa souplesse, sa tendresse, ses arômes de fruits rouges et de cacao, lui ont valu de beaux qualificatifs. On se trouve manifestement devant un superbe représentant de l'appellation. Philippe Pain a travaillé durant cinq ans au côté de son père avant de voler de ses propres ailes en 1981 en créant son exploitation. Les choses se sont depuis enchaînées rapidement : construction de la maison d'habitation en 1982, de la cave enterrée et de la salle de dégustation en 1984, du chai et de la cuverie en 1988. Parallèlement, la surface initiale est passée de 1 hectare 50 à 20 hectares aujourd'hui, avec des parcelles de sables et graviers, et de graviers argileux, situées sur Panzoult et dans les plaines cravantaises. Un parcours prometteur pour ce jeune vigneron qui se situe déjà parmi les références de l'appellation.

Cornuelles (Les)

Commune : Cravant-les-Coteaux. **Propriétaires :** Serge et Bruno Sourdais. **Chef de culture :** Bruno Sourdais. **Maître de chai :** Serge Sourdais. **Œnologue-conseil :** Francis Duval-Arnoult. **Superficie :** 6 ha. **Age moyen du vignoble :** 50 ans. **Encépagement :** cabernet-franc 6 ha. **Production :** Chinon rouge 230 hl. **Vente au domaine et par correspondance :** G.A.E.C. Serge et Bruno Sourdais, La Bouchardière, 37500 Cravant-les-Coteaux. **Tél. :** 47.93.04.27. **Visite :** Christine, Serge et Bruno Sourdais, du lundi au samedi 8 h 30 – 12 h 30 / 14 h 30 – 18 h 30. **Commercialisation :** vente directe 80 % dont export 8 %, négoce 20 %.

Dans le « catalogue » Sourdais – voir « Le Logis de la Bouchardière –, les Cornuelles occupent une place importante : celle du haut de gamme de la maison. Pour mieux nous en convaincre, Serge Sourdais a proposé à notre dégustation trois millésimes différents de cette vieille vigne de six hectares : de quoi tester en situation ses capacités d'évolution et la marque des années. Le plus convaincant est sans conteste le 93. C'est lui qui vaut aux Cornuelles ces cinq verres, symbole de perfection. Son nez frais de framboise avec sa touche vanillée et poivrée, et sa bouche dense aux tanins fins, « tapissants », nous ont enchantés. Un superbe Chinon à attendre qui se révèlera dans une dizaine d'années. Il faut dire que Bruno et Serge mettent un soin jaloux dans la culture et la vinification de cette cuvée. Elle est issue d'une superbe parcelle cravantaise, qui se singularise par une forte pente (15 %) et donc un terroir séchant. Les rendements sont faibles – 35 à 40 hl –, la récolte est manuelle sur les vieilles vignes et la fermentation dure un mois en maîtrise de température – comptez 30°. L'élevage en bois dure de douze à quinze mois. Le vin de l'année, malgré un millésime plus ingrat, s'est montré tout aussi prometteur et apte à la garde. Le 89 est plus controversé. Pour ma part, j'ai beaucoup apprécié sa solide structure qui incite à la patience, son élégance et son originalité avec sa dominante de cuir très velouté. Il ressort de ce voyage dans le temps que les vins des Cornuelles font toujours partie des réussites. A mettre en cave les yeux fermés.

Coteau de Sonnay (Cave du)

Commune : Cravant-les-Coteaux. **Propriétaire et chef de culture :** Joël Bournigault. **Maître de chai :** Robert Bournigault. **Superficie :** 7 ha. **Age moyen du vignoble :** 30 ans. **Encépagement :** cabernet-franc 7 ha. **Production :** Chinon rouge 245 hl. **Vente au domaine et par correspondance :** Joël Bournigault, Cave du Coteau de Sonnay, 7, coteau de Sonnay, 37500 Cravant-les-Coteaux. **Tél. :** 47.93.02.44. **Visite :** Joël et Robert Bournigault, tous les jours (sur R.-V.). **Commercialisation :** vente directe 70 %, négoce 30 %.

Tradition familiale de père en fils depuis 1823 : les Bournigault annoncent la couleur. Sur leur petite propriété cravantaise, ils disposent de parcelles en plaine de sables et graviers sur argile et d'un coteau, plein sud comme il se doit ici, d'argilo-calcaire. On peut saluer le labourage des vignes et les rendements modérés – 35 hl/ha – obtenus, il est vrai, mécaniquement. La vinification on ne peut plus traditionnelle, avec un élevage en bois et une mise en mai et septembre, conduit à un vin classique et sans surprise. Nous l'avons malheureusement goûté quelques jours après l'embouteillage et il ne s'était pas encore bien remis de cette étape délicate. Cela ne nous a pas empêché de découvrir un nez agréable de pruneaux, confirmé en bouche par une touche de fruits confits.

Coulaine (Château de)

Commune : Beaumont-en-Véron. *Propriétaire :* Étienne de Bonnaventure. *Œnologue-conseil :* Laboratoire Litov. *Superficie :* 10 ha. *Age moyen du vignoble :* 17 ans. *Encépagement :* cabernet-franc 10 ha. *Production :* Chinon rouge 450 hl. *Vente au domaine et par correspondance :* Étienne de Bonnaventure, Château de Coulaine, 37420 Beaumont-en-Véron. Tél. : 47.98.44.51. *Visite :* Pascale de Bonnaventure, tous les jours 9 h – 13 h / 14 h – 19 h. *Commercialisation :* vente directe 50 %, négoce 50 %.

Coulaine mériterait un livre à lui tout seul : je vais essayer de résumer. Pour situer le point de départ de cette somptueuse propriété, il faut remonter au début du XIVᵉ siècle. C'est à cette période que les ancêtres des propriétaires actuels construisent le premier château. Il devait selon toute vraisemblance être encore plus imposant que celui que l'on découvre aujourd'hui, reconstruit en 1470. Au fil des siècles, le château se transmet souvent par les femmes : c'est ce qui explique les nombreux changements de nom que l'on observe en suivant son histoire. Il n'est pas étonnant que les légendes abondent au sujet de Coulaine, longtemps rattaché au fief de Chinon. Celle de Sarah remonte à Charles V. Fille d'un riche bourgeois chinonais, elle entreprit de séduire René de Quirit, gouverneur du château de Chinon et propriétaire de Coulaine. Ce dernier était déjà engagé et, après avoir cédé aux charmes de Sarah, il décida d'épouser sa promise initiale. Furieuse, Sarah, déguisée en nonne, poignarda son amant le jour de ses noces. Le roi la condamna au bûcher mais l'on dit qu'elle viendrait régulièrement hanter de ses pleurs lugubres les abords du château. Quelques siècles plus tard, Marie-Madeleine de Vassé, épouse de Louis-Joseph de la Rochebousseau, se distingua également. Coulaine était revenu en indivis à son mari et à son beau-frère Henri de Quirit. La belle marquise ne l'entendit pas ainsi et décida d'occuper le château. Henri, qui

Une belle filiation aboutit aujourd'hui à Etienne et Pascale de Bonnaventure et leurs enfants.

voulait faire valoir ses droits, fut proprement abattu, obligeant celle que l'on appelait « La Diablesse »
à s'enfuir, déguisée en homme. Louis XV, touché par sa beauté et son repentir, lui accorda son pardon,
non sans lui interdire de résider à moins de trente lieues de la capitale et de ne plus s'habiller en homme.
Du côté des Denys de Bonnaventure, on peut citer le plus ancien ancêtre connu, Jehan Denys, qui visita
le premier le golfe du Saint-Laurent au Canada, avant Jacques Cartier. Coulaine fut durant de longues
années la demeure des champs des gouverneurs de Chinon. A ce titre, il resta longtemps un reflet fidèle de l'agriculture locale, tant en matière de cultures traditionnelles que d'élevage. De la création des
manufactures de Tours par Louis XV, et jusqu'au XIXe siècle, il accueillit ainsi un important élevage
de vers à soie. La vigne n'était bien sûr pas oubliée, avec un grand vignoble homogène aux cépages
variés, dominé alors par le chenin. Détruit par le phylloxéra, le vignoble de Coulaine allait connaître
une longue éclipse, jusqu'à l'arrivée d'Étienne Denys de Bonnaventure, l'actuel propriétaire. Celui-ci
reprend l'exploitation des mains de son père en 1988, après des études de viticulture et d'œnologie. Il
dispose alors de deux maigres hectares, ceux du clos de Turpenay, plantés d'un seul tenant de vignes
de cabernet-franc âgées de trente à quarante ans, sur un coteau argilo-calcaire situé aux abords du château. Ce clos réputé avait appartenu aux moines de l'abbaye de Turpenay, dans la forêt de Chinon, abbaye

qui avait inspiré Rabelais pour la description de Thélème. Le dynamique Etienne et son épouse Pascale entreprennent aussitôt un ambitieux programme de plantations avec le souci de remettre en vignes le coteau du château. Il fait en parallèle l'emplette d'une cuverie inox thermorégulée. Bon sang ne saurait mentir : notre homme, aujourd'hui à la tête de 10 hectares de cabernet-franc, est en passe de réussir son pari et de redonner à Coulaine son lustre viticole d'antan. Il faut dire qu'il ne ménage pas sa peine : c'est lui qui taille, qui laboure, qui vendange à la main, qui effectue, toujours à la main, un tri serré pour obtenir une vendange homogène. Et ça marche ! Le vin que nous avons dégusté – le classique de la maison, mis en bouteilles à Pâques – dévoile de beaux arômes de fruits rouges et une robuste structure. Un Chinon à attendre quelques années : c'est dans l'avenir qu'il vous dira la bonne... aventure. Comme si tout cela ne suffisait pas, les Bonnaventure proposent régulièrement des sessions d'initiation à l'analyse sensorielle, durant lesquelles ils font visiter leur domaine et présentent une palette de vins de Touraine. Et, pour savourer tous les charmes de la demeure, de son parc boisé, de ses caves de tuffeau, Pascale de Bonnaventure propose également quelques chambres d'hôtes de qualité. Une bonne nouvelle pour ceux qui auraient abusé au cours de la dégustation.

Couly-Dutheil

Communes: Chinon et Cravant-les-Coteaux. *Propriétaire:* S.C.I. Couly-Dutheil. *Directeurs:* Jacques et Pierre Couly. *Chef de culture:* Christian Duchesne. *Maître de chai:* Laurent Landry. *Œnologue-conseil:* Bertrand Couly. *Superficie:* 45 ha. *Age moyen du vignoble:* de 10 à 40 ans. *Encépagement:* cabernet-franc 45 ha. *Production:* Chinon rouge 1 550 hl, Chinon rosé 450 hl. *Vente au domaine et par correspondance:* Couly-Dutheil, 12, rue Diderot, 37500 Chinon. Tél.: 47.93.05.84. *Visite:* du lundi au vendredi (sur R.-V.), 8 h – 12 h / 13 h 45 – 17 h 45. *Commercialisation:* vente directe 100 % dont export 10 %.

Si vous avez un jour l'occasion de crier au pied du château : « Chinon ? », l'écho répondra : « Couly ! » Cette belle formule est de Pierre Bréjoux de l'INAO. Elle résume bien l'influence des Couly-Dutheil sur l'appellation. Le pire, c'est que ces négociants, dont le nom est synonyme de Chinon sous toutes les latitudes, ne sont même pas chinonais mais corréziens. Leur histoire « viennoise » débute en 1820, avec l'arrivée de Camille Couly. Il atterrit à Chinon par hasard et vit alors de petits métiers. Clin d'œil, Baptiste Dutheil, son neveu, naît à Chinon en 1880, alors que ses parents, toujours corréziens, sont venus faire une visite de courtoisie au tonton. Baptiste a dû en être marqué puisqu'il émigre à son tour à Chinon pour y exercer le métier de brocanteur. La guerre, la grande, passe par là, et, sitôt le conflit terminé, notre homme a une illumination : le vin, c'est l'avenir ! Et il se lance dans le négoce. On l'a vu, il fallait être vraiment visionnaire à l'époque pour miser sur le Chinon : c'est à cela que l'on reconnaît les grands hommes. En 1928, le petit cousin, René Couly, âgé de 18 ans, rejoint Baptiste pour apprendre le métier de vigneron : c'est parti ! S'ils sont négociants, les Couly sont aussi et avant tout vignerons. Ce sont même les plus gros propriétaires de l'appellation : 75 hectares, avec des fleurons comme l'Écho – voir cette entrée – et l'Olive. C'est ce qui explique que l'on trouve aux quatre coins de la ville les grands panneaux rouge et blanc de la maison, pour signaler leurs différents domaines. Mais le centre nerveux du système Couly-Dutheil, c'est le chai de la rue Diderot. Ce bâtiment étonnant est une vraie cathédrale élevée à la gloire du vin. Trois étages à flanc de coteau, 600 M² de surface au sol, 27 cuves inox thermorégulées et contrôlées par ordinateur, équipées comme il se doit d'un pigeage automatique, des pressoirs pneumatiques, sans oublier le tapis roulant qui conduit la vendange sur les tables de tri au dernier étage : ici tout est dernier cri et l'on remercie Newton d'avoir mis en évidence le principe de la gravitation universelle. C'est le petit-fils de René, Bertrand Couly, œnologue émérite, qui règne sur cet ensemble étonnant. Mais attention, la modernité a ses limites : pas un cep de la maison ne voit l'ombre d'une machine à vendanger. Et, cerise

Vieille étiquette de la maison Couly-Dutheil.

Quatre souriantes générations de Couly dont Baptiste, charmant petit Bacchus.

sur ce beau gâteau, la cave de tuffeau attenante abrite les fûts de chêne. Des chênes des forêts ligériennes exclusivement – dont celle de Chinon, bien sûr –, afin d'accentuer le caractère et le terroir du Chinon. Cette cave renferme les plus grands trésors qui soient. Parmi les clos emblématiques de la maison et donc du Chinon, on peut citer le Clos de l'Olive. Sa taille – 2 hectares – nous interdit de lui réserver une entrée spécifique. Pourtant sa grandeur s'exprime bien au-delà des triviaux problèmes de surface. C'est à l'Olive, à la sortie de Chinon vers Cravant, que Pierre Couly, le fils de René, s'est installé. Derrière sa maison, le chai ancien renferme une étonnante cuve de tuffeau. Unique ! Mais la richesse de l'Olive, ce sont ses vins. Nous avons eu le plaisir et l'honneur d'effectuer une verticale qui nous a conduits jusqu'en 1952. Je vais essayer de résumer. Le 82 – un gamin ! – affiche un bouquet de vieillissement marqué et une finale réglisse. C'est un vin puissant et structuré, qui allie la race et le simplicité. Le 61, se montre très minéral, avec de jolis arômes vieillis et une dominante viscérale mêlée de fruits rouges. Nouveau saut dans le temps avec le 55, puissant et tannique, qui affiche la réglisse et la concentration. Nous achevons notre périple avec le 52 et son nez complexe, concentré et très expressif : un vin vieilli mais loin d'être fini, très fondu et marqué par la violette. Une expérience que tous les œnophiles doivent vivre une fois dans leur vie ! René Couly a rejoint le paradis des vignerons en 1989, et c'est aujourd'hui son fils aîné, Pierre, qui dirige la maison, en compagnie de son frère Jacques. Ils se sont répartis la tâche : à Pierre la confrérie – il fut l'un des fondateurs des Entonneurs Rabelaisiens et assure toujours avec bonhommie le rôle de Grand Maître – et la vice présidence du Syndicat d'appellation, à Jacques les fonctions au Comité des vins de la Touraine, où il supervise la communication, et la présidence de l'Office de tourisme. Il est évident que, sans les Couly-Dutheil, Chinon ne serait pas le Chinon d'aujourd'hui. Et ce serait bien dommage.

Croix-Marie (Clos de la)

→   *Croix-Marie (Domaine de la)*

Croix-Marie (Domaine de la)

Commune : Rivière. **Propriétaire :** E.A.R.L. André Barc Père et Fils. **Chefs de culture et maîtres de chai :** Patrick et André Barc. **Superficie :** 17 ha 50 a. **Age moyen du vignoble :** 35 ans. **Encépagement :** cabernet-franc 17 ha 30 a, chenin 20 a. **Production :** Chinon rouge 900 hl, Chinon blanc 8 hl. **Vente au domaine et par correspondance :** E.A.R.L. André Barc Père et Fils, La Croix-Marie, 37500 Rivière. Tél. : 47.93.02.24. **Visite :** André Barc, du lundi au samedi (sur R.-V.) 8 h 30 – 12 h / 14 h 30 – 19 h. **Commercialisation :** vente directe 75 % dont export 6 %, négoce 25 %.

André Barc a acheté ce domaine en 1974. Il travaillait déjà sur l'exploitation comme ouvrier depuis une dizaine d'années et s'en était alors porté acquéreur en viager. Il s'agit d'une très ancienne propriété viticole, comme l'attestent les pressoirs du xive et du xve siècles que l'on trouve dans la cave. Ses 17 hectares 50 sont situés en coteaux, sur la rive sud de la Vienne, sur les communes de Ligré, La Roche-Clermault et Rivière, avec certains ceps âgés de 90 ans. Depuis 1984, André Barc récolte mécaniquement l'ensemble de la propriété, avec des rendements très modérés : 35 hl/ha pour le Clos de la Croix-Marie. Il fut l'un des premiers à disposer de cuves inox thermorégulées, c'était en 1976. Certains vins de la propriété sont élevés en bois, avec une mise en bouteilles tardive qui intervient pour partie en septembre et pour le reste en avril de l'année suivante : voilà un Chinon qui fait deux fois ses pâques ! Le vin du Clos de la Croix-Marie nous a un peu déçus par sa légèreté et sa discrétion. Nos dégustateurs le jugent quand même intéressant dans sa jeunesse. Ils ont été plus convaincus par le Clos de la Galvauderie « Cuvée Gargantua », issu d'une parcelle d'un hectare avec des rendements modérés. Il se montre agréable, souple et puissant et illustre parfaitement les aptitudes du Chinon à se garder une bonne dizaine d'années ou à se montrer sous un jour prometteur dès l'année qui suit la récolte. On retient également de la cave d'André Barc une jolie collection d'outils anciens accrochés aux murs et surtout le petit caveau aménagé dans un ancien four à pain.

Cure (Clos de la)

→ *Joguet (Charles)*

Diamant Prestige

→ *Roche-Honneur (Domaine de la)*

Diligence (La)

Commune : Beaumont-en-Véron. **Propriétaire :** S.C.I. Domaine de la Diligence. **Directeurs :** Jacques et Pierre Couly. **Chef de culture :** Christian Duchesne. **Maître de chai :** Laurent Landry. **Œnologue-conseil :** Bertrand Couly. **Superficie :** 7 ha. **Age moyen du vignoble :** 27 ans. **Encépagement :** cabernet-franc 7 ha. **Production :** Chinon rouge 350 hl. **Vente au domaine et par correspondance :** Couly-Dutheil, 12, rue Diderot, 37500 Chinon. Tél. : 47.93.05.84. **Visite :** Couly-Dutheil, 12, rue Diderot, 37500 Chinon, du lundi au vendredi (sur R.-V.), 8 h – 12 h / 13 h 45 – 17 h 45. **Commercialisation :** vente directe 100 % dont export 10 %.

C'est un ancien relais de diligence qui a valu ce nom au domaine. Il fait partie depuis 1991 de « l'écurie » Couly – casaque rouge rubis affectionnée par les toques blanches. La fameuse maison de Chinon a là encore innové en achetant cette propriété avec de célèbres amateurs : Alexandre Lagoya, Alain Senderens, Martin Cantegrit, Jacques Puisais, ainsi que les familles Thomas et Saint-Marcoux. Somptueux casting ! Ce plateau argilo-siliceux bénéficie des mêmes recettes que celles du légendaire Clos de l'Écho – voir cette entrée –, dont la fameuse station météo pour les traitements « toutti rikiki ». Les rendements sont toutefois un peu plus élevés et le vin ne passe pas en bois. Cela lui permet de se retrouver sur les tables plus rapidement que son frère. C'est un Chinon agréable dans sa jeunesse avec un joli nez de fruits mûrs et une bouche fine de fruits rouges épicés. Tout au plus peut-on lui faire reproche d'un certain manque de longueur. Il est vrai que nous l'avons jugé sur un millésime difficile.

L'ancien relais de diligence est à présent l'emblème d'un vignoble à la copropriété distinguée.

Dioterie (Clos de la)

→   *Joguet (Charles)*

Doulaie (Domaine de la)   →   Perrière (Domaine de la)

Dudognon (Fabrice)

Commune : Beaumont-en-Véron. *Propriétaire :* Fabrice Dudognon.
Superficie : 5 ha 30 a. *Age moyen du vignoble :* 70 ans. *Encépagement :*
cabernet-franc 5 ha 30 a. *Production :* Chinon rouge 230 hl. *Vente
au domaine et par correspondance :* Fabrice Dudognon, Les Caves
aux Fièvres, 37420 Beaumont-en-Véron. Tél. : 47.58.48.87. *Visite :*
Fabrice Dudognon, tous les jours (sur R.-V.). *Commercialisation :*
vente directe 50 %, centrales d'achat 50 %.

Fabrice Dudognon est vite devenu un « vieux » vigneron.

Fabrice Dudognon l'annonce sans détour : « Chez moi, il n'y a pas de tradition familiale, puisque je suis le premier vigneron de la famille. » C'est donc par pure passion que le jeune Fabrice – 25 ans – a repris il y a quatre ans une petite propriété de trois hectares à Beaumont-en-Véron, laissée vacante par un départ en retraite. Il s'attache désormais avec un peu plus de cinq hectares à se faire une place au soleil chinonais, non sans talent, nous allons le voir. S'il est bien servi par ses coteaux argilo-calcaires du Véron, Fabrice Dudognon s'attache à travailler avec sérieux. C'est ainsi qu'il désherbe sous les ceps et laboure ses rangs, avant de procéder à des vendanges manuelles. Mêmes soins en cave, où il effectue un élevage en chêne pour une mise aux premiers jours du printemps. Il nous a proposé un vin de l'année, exercice toujours difficile à Chinon, mais qu'il réussit avec mention. Le nez affiche de belles senteurs de framboise, tandis que la bouche fait montre d'un équilibre prometteur, avec des tanins déjà bien présents mais sans aspérités. Ajoutons à ce portrait flatteur un prix à faire pâlir une grande surface : il faut sûrement se hâter d'en profiter. Dès que Fabrice aura lu ces commentaires, il pourrait bien revoir ses tarifs à la hausse. En toute honnêteté, cela restera une excellente affaire.

Echo (Clos de l')

Commune : Chinon. **Propriétaire :** S.C.I. Couly-Dutheil. **Directeurs :** Jacques et Pierre Couly. **Chef de culture :** Christian Duchesne. **Maître de chai :** Laurent Landry. **Œnologue-conseil :** Bertrand Couly. **Superficie :** 18 ha. **Age moyen du vignoble :** 40 ans. **Encépagement :** cabernet-franc 18 ha. **Production :** Chinon rouge 720 hl. **Vente au domaine et par correspondance :** Couly-Dutheil, 12, rue Diderot, 37500 Chinon. **Tél. :** 47.93.05.84. **Visite :** toute l'année, Couly-Dutheil, 12, rue Diderot, 37500 Chinon, du lundi au vendredi (sur R.-V.), 8 h - 12 h / 13 h 45 – 17 h 45, et de juin à octobre, à l'Écho, 37500 Chinon, tous les jours, 8 h – 12 h / 13 h 45 – 19 h. **Commercialisation :** vente directe 100 % dont export 12 %.

Le château de Chinon, vu depuis le clos de l'Écho, est une carte postale des plus traditionnelles.

Le Clos de l'Écho est un vignoble mythique en Chinonais. Pierre Couly ne manque pas de le rappeler avec malice : il appartint à Antoine Rabelais, le père de François. Même si son terroir n'avait que de piètres qualités géologiques, cela suffirait déjà à éveiller l'intérêt. Seulement voilà : Antoine s'y entendait aussi en matière de vignes et n'avait sûrement pas choisi ce clos au hasard. Situé au pied du château, à l'opposé de la Vienne, il doit son nom au fameux écho malicieux qui résonne sur les murailles. Ces 18 hectares se trouvent sur un coteau et un plateau argilo-calcaire orienté plein sud, qui méritent déjà l'attention. Baptiste Dutheil fit l'acquisition d'une partie de l'Écho à la veille des *années folles*. Son gendre, René Couly, parvint à acheter le reste en 1952 et entreprit aussitôt de le replanter. Heureuse et louable initiative, car ce clos de légende, traversant comme le Chinon une période de sommeil, avait servi à cultiver du blé. Inutile de dire que le soin jaloux que les Couly développent sur leurs propriétés trouve ici un terrain des plus propices. Les vignes – du cabernet-franc en totalité, il ne faut pas mélanger les genres – sont enherbées et vendangées à la main. La récolte bénéficie d'un tri aussi sévère que manuel. Et, comme si cela ne suffisait pas, le vignoble est désormais sous surveillance d'une station météo – installée au cœur des vignes – qui permet de déclencher les traitements à « mini-doses » au moment le plus opportun. La vinification est évidemment thermorégulée, l'élevage en chêne autochtone et le collage à l'œuf pour une commercialisation qui ne saurait intervenir moins de trois ans après la récolte. Pierre Couly a bien sûr soumis à notre sagacité un très très large éventail de vins de l'Écho, qui nous ont permis de juger des derniers millésimes et de leur évolution. Les « moins bons », tout est relatif, n'ont obtenu « que » quatre verres : ils montrent tous une solide structure, des arômes fondus d'une rare finesse et des perspectives d'évolution qui leur permettront d'aborder le troisième millénaire – et peut-être de le traverser, qui sait ? – sans encombre. Le plus convaincant est le 89, d'une courte tête, tant la concurrence est rude. Il présente un nez assez discret de poivron, qui révèle sa densité au fil des minutes. Son attaque est douce et soyeuse, avec une longueur exceptionnelle, de superbes arômes de fruits mûrs et des tanins d'une rare finesse. L'apothéose du Chinon ! Jean-Luc Pouteau regrettait un jour que Rabelais ne puisse goûter les magnifiques vins de l'Écho d'aujourd'hui. Il est clair qu'il aurait adoré. Fasse le ciel que cet Écho continue longtemps de résonner !

Fabrices (Cuvée des)

→ *Saut-au-Loup (Clos du)*

Falaises (Domaine des)

→ Angelliaume (Gérard)

Folies (Clos des)

→ Roncée (Domaine du)

Galvauderie (Clos de la)
(Cuvée Gargantua)   →
Croix-Marie (Domaine de la)

Garous (Les)

→ Couly-Dutheil

Gasnier (Vignoble)

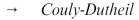

Commune : Cravant-les-Coteaux. **Propriétaires :** Jacky et Fabrice Gasnier. **Chef de culture et maître de chai :** Fabrice Gasnier. **Superficie :** 21 ha. **Age moyen du vignoble :** 30 ans. **Encépagement :** cabernet-franc 20 ha, cabernet-sauvignon 1 ha. **Production :** Chinon rouge 840 hl. **Vente au domaine :** G.A.E.C. Jacky et Fabrice Gasnier, Chézelet, 37500 Cravant-les-Coteaux. Tél. : 47.93.11.60. **Visite :** Jacky et Fabrice Gasnier, tous les jours (sur R.-V.). **Commercialisation :** vente directe 70 %, négoce 30 %.

Les Gasnier se sont succédé sur ce vignoble cravantais depuis 1870. La famille possédait alors deux hectares de vignes. Un peu plus d'un siècle plus tard, la propriété en compte vingt-deux : une progression aussi tranquille qu'efficace ! L'exploitation est située dans la vallée de la Vienne, sur les terrasses graveleuses et les terrains argilo-siliceux, entre les coteaux et le fleuve. Fabrice, le fils de Jacky, perpétuant la tradition familiale, est venu prêter main-forte à son père : c'est désormais lui qui cultive et vinifie. Il se montre d'ailleurs assez adroit : les vignes sont palissées, elles subissent un rognage toutes les trois semaines et la récolte est mécanisée depuis 1981, avec un rendement limité à 40 hl/ha. Côté vinification, les choses sont tout aussi sérieuses avec un tri et un égrappage sévère suivis d'une fermentation sous température maîtrisée et d'un élevage en fûts de quatre à douze mois. Les résultats sont là : un joli vin rouge cerise au nez puissant et mûr – dominé par une belle touche de lilas – et à la bouche subtile et longue de caramel, de vanille, de cerise et de pruneau. Seul l'alcool un peu trop présent lui confère une chaleur et un gras un peu trompeurs.

Géléries (Domaine des)

Communes : Chinon et Beaumont-en-Véron. **Propriétaire :** Jeannine Rouzier-Meslet. **Chef de culture et maître de chai :** Jean-Marie Rouzier-Meslet. **Superficie :** 6 ha. **Age moyen du vignoble :** 25 ans. **Encépagement :** cabernet-franc 5 ha 30 a, cabernet-sauvignon 70 a. **Production :** Chinon rouge 300 hl. **Vente au domaine et par correspondance :** Gérard Rouzier-Meslet, Les Géléries, 37140 Bourgueil. Tél. : 47.97.72.83. **Visite :** Jeannine, Jean-Marie et Gérard Rouzier-Meslet, du lundi au samedi (sur R.-V.) 9 h – 12 h 30 / 14 h 30 – 19 h. **Commercialisation :** vente directe 70 % dont export 10 %, négoce 30 %.

Le Domaine des Géléries, c'est la conférence Nord-Sud ! Il résulte en effet de la rencontre de deux familles de vignerons situées de part et d'autre de la Loire. Les ancêtres de Gérard possédaient un vignoble à Chinon depuis le début du XIXe siècle. Son épouse, Jeannine, était elle issue d'une famille de vignerons de Bourgueil. Gérard Rouzier-Meslet s'expatria sur la rive droite, non sans garder son terroir chinonais. C'est ce qui explique cette curiosité locale : un Chinon vinifié et commercialisé à Bourgueil ! Les deux appellations sont d'ailleurs traitées à stricte parité, avec six hectares chacune. Gérard Rouzier-Meslet a pris sa retraite il y a deux ans et a été remplacé par son épouse et par son fils à la tête de la propriété. Le terroir chinonais est situé sur les coteaux argilo-calcaires et argilo-siliceux de Chinon et de Beaumont. Les vendanges sont principalement mécaniques mais on note 20 % de cueillette manuelle. Le vin est élevé en bois durant trois à quatre mois avant une mise en bouteille en juin et septembre de l'année qui suit la récolte. Pour tout dire, le Chinon de cet espion pacifique nous a un peu déçus. L'esprit du nord de la Loire l'emporte un peu trop sur le caractère local : sa robe, franche et brillante, est un peu claire, le nez d'agrumes légèrement grillé est trop discret, et la structure se révèle essentiellement tenue par des tanins assez fins mais un peu asséchants. Un vin dont nos dégustateurs regrettent qu'il ne les ait pas davantage fait rêver. Mais la possibilité de comparer Chinon et Bourgueil sur les mêmes bases de vinification mérite le détour.

Gouron (Domaine)

Commune : Cravant-les-Coteaux. **Propriétaires :** Jacky et Laurent Gouron. **Superficie :** 22 ha. **Age moyen du vignoble :** 30 ans. **Encépagement :** cabernet-franc 22 ha. **Production :** Chinon rouge 1 000 hl, Chinon rosé 100 hl. **Vente au domaine et par correspondance :** E.A.R.L. Gouron et Fils, La Croix-de-Bois, 37500 Cravant-les-Coteaux. Tél. : 47.93.15.33. **Visite :** Jacky et Laurent Gouron, du lundi au vendredi (sur R.-V.) 8 h – 18 h, samedi 9 h – 17 h. **Commercialisation :** vente directe 80 % dont export 5 %, négoce 20 %.

Comme tant d'autres propriétaires cravantais, la famille Gouron bénéficie d'une longue tradition viticole. Ce n'est pourtant que récemment, dans les années cinquante, que le domaine a vraiment commencé à prendre sa dimension actuelle. Ce qui impressionne ici, c'est tout d'abord un superbe panorama sur le bourg de Cravant et le val de Vienne. La cave est à l'avenant : 175 mètres de galeries creusées dans le tuffeau, dont 80 sont en cours de finition afin d'améliorer les capacités de stockage, tant en matière de fûts que de bouteilles. On y accède en traversant le chai moderne – encastré dans la roche et fini en pierres du pays – avec ses cuves inox, et en suivant une longue galerie. Cette cave servit d'ailleurs d'habitation troglodytique. Le terroir est situé sur le coteau argilo-calcaire qui sépare le vieux bourg de Cravant du village actuel. Les vignes font l'objet de soins constants : palissage, ébourgeonnage manuel, rognage mécanique, labour et griffage du sol, et vendanges à la machine, cela afin de mieux étaler la récolte en fonction du temps et de la maturité de la vigne. Le vin du cru affiche un nez encore un peu fermé mais plein de promesses : framboise mentholée et herbes sèches. Sa bouche de raisin, de marc et de fraise des bois se montre souple et ample. Seule petite remarque : une finale un peu chaude en alcool. Cela ne constitue pas, loin s'en faut, un défaut majeur. Pour ma part, j'ajouterai une mention particulière pour l'étiquette du domaine, aussi sobre qu'originale, qui constitue une heureuse variation dans un genre trop souvent empreint de classicisme.

Grange-Billart (Domaine de la)

Commune : Cravant-les-Coteaux. **Propriétaire :** Marie-Louise Demois. **Chef de culture et maître de chai :** Jean-Claude Demois. **Superficie :** 14 ha. **Age moyen du vignoble :** 30 ans. **Encépagement :** cabernet-franc 14 ha. **Production :** Chinon rouge 650 hl. **Vente au domaine :** Jean-Claude Demois, La Grange-Billart, Chézelet, 37500 Cravant-les-Coteaux. Tél. : 47.98.49.01. **Visite :** Jean-Claude Demois, tous les jours (sur R.-V.). **Commercialisation :** vente directe 25 %, négoce 75 %.

Malgré son expérience déjà longue – il commença à travailler au côté de son père à l'âge de 15 ans –, Jean-Claude Demois reste un jeune vigneron. Il est pourtant l'héritier d'une solide tradition familiale. En effet, son arrière-grand-père possédait en 1900 non moins de dix hectares de cabernet-franc et consacrait toute son activité à la vigne. Un principe encore rare à l'époque. L'arrivée inopinée du phylloxéra conduisit son fils à replanter de façon un peu désordonnée avec quelques hybrides inavouables. C'est le père de Jean-Claude qui remit les choses d'aplomb au lendemain de la guerre. Le domaine, dont il a pris les commandes en 1985, compte aujourd'hui 14 hectares. Il est situé sur le terroir argilo-siliceux des plaines cravantaises. Le propriétaire n'hésite pas à labourer et à vendanger à la main. Son vin nous a valu des commentaires très contrastés : certains aiment, d'autres pas. Ceux qui l'apprécient soulignent sa simplicité et la sympathie qui se dégage du verre. Ils le qualifient de vin « facile », ce qui pourrait presque passer pour un compliment au vu de la complexité des Chinon. Ses détracteurs lui reprochent ce côté atypique et sa légèreté. Pour tout dire, sa « facilité » passe aussi par des prix très sages, qui en font un excellent Chinon d'apprentissage avant de passer à des choses plus complexes.

Grange-Liénard (La)

Commune : Chinon. **Propriétaire :** Jean Maucler. **Superficie :** 5 ha. **Age moyen du vignoble :** 35 ans. **Encépagement :** cabernet-franc 5 ha. **Production :** Chinon rouge 250 hl. **Vente au domaine et par correspondance :** Jean Maucler, 19, rue de l'Olive, La Grange-Liénard, 37500 Chinon. Tél. : 47.93.05.58. **Visite :** Sylvette et Jean Maucler, tous les jours (sur R.-V.). **Commercialisation :** vente directe 20 %, négoce 80 %.

A 64 ans, Jean Maucler, qui perpétue la tradition de polyculture locale, continue de produire un petit Chinon traditionnel, sans aucune prétention.

Granges (Les)

→ *Baudry (Domaine Bernard)*

Gravières d'Amador Abbé de Turpenay (Les)

→ *Couly-Dutheil*

Graviers

→ *Carroi-Portier (Domaine du)*

Grézaux (Les)

→ *Baudry (Domaine Bernard)*

Grille (Château de la)

Commune : Chinon. **Propriétaire :** Laurent Gosset. **Directeur :** Jean-Max Manceau. **Superficie :** 26 ha. **Age moyen du vignoble :** 25 ans. **Encépagement :** cabernet-franc 24 ha 70 a, cabernet-sauvignon 1 ha 30 a. **Production :** Chinon rouge 1 000 hl. **Vente au domaine et par correspondance :** Château de la Grille, B.P. 205, 37502 Chinon cedex. Tél. : 47.93.01.95. **Visite :** Laurent Gosset et Jean-Max Manceau, du lundi au samedi (sur R.-V.) 9 h – 18 h. **Commercialisation :** vente directe 100 % dont export 25 %.

En quittant Chinon vers le nord, sur la route de Huismes, il existe un lieu magique : le château de la Grille. Magique et pour le moins original. Il faut commencer par s'intéresser au château en lui-même, qui se cache au fond d'une allée ombragée. Le bâtiment ne manque pas d'interpeller par l'abondance des styles qui sont intervenus dans sa construction. Édifié au XVᵉ siècle, il sera agrandi au XVIIᵉ, puis à nouveau modifié au XIXᵉ siècle. La première référence qui traverse l'esprit en l'apercevant est celle des châteaux de Louis II de Bavière et leur délire néo-baroque. Si la Grille est plus sage, il s'en dégage le même petit grain de folie, qui fait sa majesté. Le château et son grand domaine furent acquis en 1748 par Antoine-Jean de Cougny, conseiller du roi et receveur des tailles de l'élection de Chinon. Cette famille prestigieuse, établie dans la région depuis le XIIIᵉ siècle, va s'attacher à faire de la propriété un modèle dans tous les domaines, jusqu'à la veille de la Première Guerre mondiale. On sait ainsi qu'en 1848, la Grille représentait un coquet ensemble de 100 hectares – 97 hectares 50 pour être précis – comprenant des vignes, des bois, des terres à blé et des pâtures. Quelques années plus tard, le château connaît de grandes transformations avec la construction de la chapelle et de dépendances. A l'aube du XXᵉ siècle, la Grille fait déjà référence à Chinon pour la qualité de ses vins. La propriété est ballotée entre diverses mutations avant qu'Albert Gosset, propriétaire champenois, ne tombe à son tour sous son charme et ne décide d'en faire l'acquisition en 1950. Ce mariage des bulles les plus nobles du monde et du Chinon constitue sans conteste la grande

Le modèle de cette bouteille de la Grille a été pour la première fois soufflé au XVIIIᵉ siècle.

149

Le charme « piquant » du château de la Grille ne manque pas de clochetons.

originalité du château de la Grille. S'il est désormais juridiquement indépendant du Champagne Gosset, c'est toujours Laurent Gosset, le fils d'Antoine, qui préside aux destinées du château chinonais. Il est aidé dans sa tâche par un régisseur hors de pair, Jean-Max Manceau. Malgré son jeune âge – 36 ans –, Jean-Max étonne dès les premières minutes par sa simplicité et sa passion communicative du vin. Il a trouvé ici un cadre à la mesure de ses grandes qualités de vinificateur. Augmenté au cours des vingt dernières années, le vignoble de la Grille, qui offre la particularité d'être d'un seul tenant, couvre aujourd'hui 26 hectares sur les 50 que compte la propriété. Les investissements y ont été nombreux, avec notamment la construction d'une cuverie modèle en inox, en sous-sol pour la gravité, équipée d'une thermorégulation individuelle – froid ou chaud à volonté – et d'un système de pigeage automatique mis en place sur les conseils de Jacques Puisais. Ajoutons pour faire bonne mesure que le domaine dispose également d'une vaste cave de vieillissement où les véhicules de manutention n'ont aucune peine à manœuvrer. Il faut en venir à la philosophie de la maison. A la Grille, il n'y a pas de cuvées, de parcelles ou de vieilles vignes. Jean-Max Manceau met un point d'honneur à ne pas disperser, dans une quête marketing déplacée, ce vignoble homogène au terroir très calcaire de tuffeau sur des plateaux exposés est-ouest. Une seule étiquette donc, et un seul vin par millésime. Deuxième spécificité, les vendanges, évidemment manuelles, sont effectuées en clayettes. Cet héritage du champagne, permet d'éviter tout problème d'oxydation tout en facilitant les tris. Dernière particularité, les vins de la Grille sont vinifiés dans une optique constante

et exclusive de grande garde. J'en veux pour preuve la macération de quatre à cinq semaines, après une dizaine de jours de fermentation alcoolique, puis le passage en fûts de chêne merrain de 225 litres, avec un élevage de douze à dix-huit mois selon les millésimes – un bon quart des fûts est renouvelé chaque année. Il est impensable d'espérer acheter ici des bouteilles moins de cinq ans après leur récolte. C'est d'ailleurs ce qui a défavorisé ces vins lors de notre dégustation : trop de jeunesse pour les apprécier à leur juste valeur. C'est vrai que vouloir goûter ici un vin de deux ans et un autre de cinq ans frise le sacrilège. Halte aux persécutions d'enfants ! Les termes « vin à attendre » et « fermé » se sont donc succédé sur nos fiches de dégustation. Chacun a toutefois souligné la richesse potentielle de leurs arômes, leur charpente vigoureuse et la puissance de leurs tanins. Avant de refermer cette imposante Grille, je voudrais dire un mot des bouteilles. Contrairement au commun des Chinon, les vins de la Grille sont embouteillés dans un flacon spécial, partagé avec le « cousin » champenois. Il s'agit d'une copie fidèle de la bouteille familiale des Gosset, créée au xviiie siècle, qui ajoute encore au charme de ce nectar. Vous vous doutez bien évidemment qu'un tel vin fait entrer le Chinon dans les catégories de prix déjà respectables. Cela dit, par rapport à certaines propriétés emblématiques d'autres vignobles, auxquelles la Grille n'a pas grand-chose à envier, cela reste un cadeau. Et, de toute façon, le vrai plaisir n'a pas de prix, c'est bien connu.

Guertin (Paul)

Commune : Beaumont-en-Véron. **Propriétaire :** Paul Guertin. **Superficie :** 15 ha. **Age moyen du vignoble :** 25 ans. **Encépagement :** cabernet-franc 14 ha 70 a, cabernet-sauvignon 30 a. **Production :** Chinon rouge 750 hl, Chinon rosé 30 hl. **Vente au domaine et par correspondance :** Paul Guertin, Le Carroi-Ragueneau, 37420 Beaumont-en-Véron. Tél. : 47.58.43.20. **Visite :** Paul Guertin, tous les jours (sur R.-V.). **Commercialisation :** vente directe 70 %, négoce 30 %.

Les bâtiments de l'exploitation ne manquent pas de charme. Il faut dire que le logis de tuffeau date de 1844. La famille Guertin en a fait l'acquisition au début du siècle ; il s'agissait des grands-parents de Paul Guertin, l'actuel propriétaire. Ceux-ci étaient alors déjà vignerons et se sont attachés à mettre en valeur ce domaine, comme le père de Paul Guertin par la suite. De trois hectares à l'origine, il atteint aujourd'hui 15 hectares, dont deux tiers sur terrains argilo-calcaires et le reste sur graviers. Paul Guertin a pris les rênes en 1965 et s'est attaché à développer la vente directe : les quantités livrées au négoce ne représentent plus aujourd'hui qu'un tiers de la production. Ce petit homme au physique rond et aux réactions vives avoue avec une certaine malice que le vin n'était pas sa passion première : outre un penchant certain pour la Formule 1, notre homme aurait voulu être enseignant. Les hasards de la vie l'ont conduit à devenir vigneron et il ne le regrette pas. A 57 ans, il envisage de se retirer prochainement. Et, ce célibataire n'ayant pas d'enfant, c'est à son filleul – un jeune vigneron de Saint-Nicolas-de-Bourgueil – qu'il va louer ses vignes. Il ne souhaite en tout cas pas les vendre : « Je ne sais pas ce que je ferais de l'argent », souligne-t-il avec malice.

Haute Olive (Domaine de la)

Commune : Chinon. **Propriétaires :** Yves et Thierry Jaillais. **Directeurs :** Yves et Thierry Jaillais. **Superficie :** 13 ha. **Age moyen du vignoble :** 20 ans. **Encépagement :** cabernet-franc 13 ha. **Production :** Chinon rouge 650 hl. **Vente au domaine :** E.A.R.L. Domaine de la Haute Olive, Yves et Thierry Jaillais, 38, rue de l'Olive, 37500 Chinon. Tél. : 47.93.04.08. **Visite :** Yves et Thierry Jaillais, tous les jours (sur R.-V.). **Commercialisation :** vente directe 70 %, négoce 30 %.

Le quartier de l'Olive à Chinon abrite sur les coteaux de la Vienne quelques propriétés intéressantes et des demeures, du xiiie et du xive, citées par Rabelais. Issu d'une famille de vignerons, le grand-père d'Yves Jaillais fit l'acquisition en 1913 de ce domaine dont l'origine remonte au xiiie siècle. Parti combattre les

uhlans, il ne revint qu'en 1919 et entreprit aussitôt de replanter la propriété. Yves a repris le domaine des mains de son père en 1970. Il comptait alors 12 hectares et notre homme l'a étendu jusqu'à 17, avant de redescendre à 13 hectares récemment pour préparer sa retraite. A ses débuts, cet autodidacte ne disposait pas de beaucoup d'outils. Il put faire l'emplette d'une cave à proximité en 1979 – la demeure qui lui était liée a été acquise par Jacques Puisais –, puis de cuves inox en 1980. C'est tardivement qu'il s'est mis à participer aux concours de vins avec grand succès, preuve de la qualité de ses vinifications. Celles-ci restent très classiques : un

◄ *Yves Jaillais préconise l'élégance classique du vin.*

désherbage soigné et des apports de sulfate de fer pour combattre la chlorose, une vendange aux deux tiers manuelle et une vinification semi-carbonique sous contrôle de température. « Rien de *high tech*, ici », clame ce vigneron sympathique et ouvert, dont les vins charpentés ne sont pas dénués d'une certaine finesse, surtout après quelques années passées à l'abri du tuffeau. Le vin que nous avons dégusté ne dérogeait pas à cette règle avec son nez de fruits rouges confirmé en bouche et son attaque souple aux tanins agréablement fondus. Ayant, pour ma part, pu juger en auditeur libre d'un Haute Olive 89, je peux témoigner avoir rencontré un Chinon de facture classique d'une rare élégance. Notons que si Yves appartient à la troisième génération de vignerons chez les Jaillais, la quatrième pointe le bout de son nez, avec Thierry, qui assiste désormais son père sur le domaine.

Joguet (Charles)

(B) (C) 🍷 🍷 🍷 🍷 🍷

Communes : Sazilly et Chinon. **Propriétaire :** S.C.E.A. Charles Joguet. **Directeur :** Alain Delaunay. **Chef de culture et maître de chai :** Michel Pinard. **Superficie :** 20 ha. **Age moyen du vignoble :** 30 ans. **Encépagement :** cabernet-franc 20 ha. **Production :** Chinon rouge 900 hl, Chinon rosé 50 hl. **Vente au domaine et par correspondance :** S.C.E.A. Charles Joguet, 37220 Sazilly. Tél. : 47.58.55.53. **Visite :** Alain Delaunay, du lundi au vendredi 8 h – 12 h / 14 h – 18 h (samedi sur R.-V.). **Commercialisation :** vente directe 100 % dont export 30 %.

S'il est un vigneron qui m'a marqué à Chinon, c'est bien Charles Joguet ! Bien sûr, il faut le trouver : notre homme n'aime pas les pancartes qui défigurent le paysage et met un point d'honneur à ne pas signaler ses chais. Après tout, un Chinon, surtout les siens, ça se mérite, et Sazilly n'est pas si grand. Bien sûr, il faut avoir le cœur bien accroché pour monter à ses côtés dans sa petite bombe bleue et faire le tour de ses parcelles. Bien sûr, et pourtant le charme opère très vite. Avec son regard clair et malicieux et sa fine barbe, il avoue qu'il n'aurait jamais dû être vigneron. Sa sensibilité le portait plutôt vers l'art pictural : c'est pourquoi les Beaux-Arts ont remplacé dans son cursus l'école de viticulture. Il a repris un peu par hasard et sans conviction la propriété familiale en 1957 et a fini par se prendre au jeu. Sans abandonner véritablement sa passion – il possède toujours un atelier à Paris dans le quartier de Belleville et il s'y réfugie chaque week-end –, il a vite constaté que la vigne était trop prenante pour lui laisser le loisir de faire une vraie carrière de peintre. Il résume cette situation par une jolie formule : « Je suis sans doute le meilleur peintre de tous les vignerons et le meilleur vigneron de tous les peintres », insistant aussitôt sur le fait que cette dispersion nuit sûrement à chacune de ses deux activités. En ce qui concerne la vigne, je n'en suis pas convaincu, tant ses vins sont éblouissants. Avant la visite du domaine, il faut s'attarder sur les méthodes de culture et de vinification, qui sont communes à tous les vins de Charles Joguet. Il va sans dire que la vendange est restée manuelle, avec, ici comme à la Grille, la particularité de récolter en caissettes de 20 kg. La vinification de Michel Pinard – un nom aussi évocateur qu'inapproprié pour les merveilles qu'il produit – est bien servie par un équipement de qualité. En 1974, Charles Joguet accepta en effet de servir de cobaye pour la mise en place, par Jacques Puisais, des premières cuves à pigeage électromécanique. Elles sont toujours en fonction, avec leur système complexe de chaînes et de renvois. C'est également ici que l'on trouve l'un des très rares pressoirs pneumatiques du Chinonais. Tous les clos, enfin, sont élevés durant huit mois en fûts de chêne : des barriques bordelaises d'un vin exclusivement. Un mot également de la cave de tuffeau, achetée récemment. Il s'agit d'une ancienne carrière à la voûte impressionnante. Contrairement aux autres vignerons de Chinon, Charles Joguet possède

Un peintre-vigneron haut en couleur : Charles Joguet. ▶

La cave de Joguet tient du temple (du vin) et de la cathédrale monolithe.

de nombreux clos qui sont vinifiés et vendus séparément. Ils auraient donc dû être présentés individuellement dans ce répertoire. Mais voilà, aucun de ces domaines ne dépasse la barre des cinq hectares que nous nous sommes fixée. C'est ce qui explique cette entrée unique dans cet ouvrage. Rassurez-vous, je vais quand même vous faire faire un tour de la propriété. Commençons par le plus vaste : Les Varennes du Grand Clos. Ses 4 hectares 50, situés sur un plateau argilo-calcaire avec une bande siliceuse, en pied de coteau, exposé plein nord, sont à diviser en deux parties très distinctes. Le vin de la première partie du clos est récolté sur trois hectares et demi. Plus étonnant est le vin de la seconde partie. Il s'agit en fait d'un hectare de vignes non greffées, plantées en 1982 en plein accord avec l'INRA. Toujours traités séparément, ces producteurs directs qui n'ont pas encore subi d'attaque du phylloxéra – croisons les doigts – sont vinifiés à l'ancienne : ni collage, ni filtrage, ni chaptalisation. Voilà qui permet de vérifier l'incidence du greffage, en comparant, millésime par millésime les deux vins. Le « standard » 92 montre un nez torréfié, intense et très élégant et une bouche assez rustique mais agréable. À l'opposé, le « non greffé » de la même année surprend par sa finesse et sa bouche souple et fruitée. La comparaison est encore plus intéressante sur les 90. Le premier titre 12° 8 et affiche un puissant nez de « pétrole » et une bouche souple à la finale élégante. Le second n'atteint que 11° mais étonne le dégustateur par des arômes viscéraux et poivrés et une attaque très marquée par les tanins, avec, sublime paradoxe, une impression d'alcool et de concentration. Cette curiosité ne figure, hélas ! pas au tarif et est réservée confidentiellement à quelques privilégiés. Passons au Clos du Chêne Vert, une parcelle plantée vers 1200 par les moines de Bourgueil. Le chêne qui lui a donné son nom date d'ailleurs de cette époque. Il se situe sur un coteau argilo-calcaire très pentu de la Haute-Olive à Chinon, avec une exposition sud-ouest. Ses deux hectares produisent un vin moins convaincant : tout est relatif ! Le 89 m'a semblé un peu discret au nez et un peu mou en bouche, avec toutefois un fruit exceptionnel. Passons rapidement sur le Clos de la Cure et ses graves lourdes et sur les jeunes vignes qui permettent à Charles Joguet de proposer un rosé et deux rouges vifs et fringants. Il reste à parler du Clos de la Dioterie qui appartient à la famille de Charles Joguet depuis la Renaissance. Il semble qu'il ait toujours été planté en vignes depuis cette période. Un véritable monstre sacré que ce Chinon-là ! Il est récolté sur 2 hectares 50 d'une parcelle de vieilles vignes – 85/87 ans –, sœur de celle des Varennes : même pente et même exposition, mais ici en aval de Sazilly. Quel nez ! Une concentration de poivre et de fruits rouges et une bouche longue, longue, longue, à l'attaque franche et à la charpente exceptionnelle. Le tout servi par un équilibre époustouflant. Même si 1990 était un millésime inratable, on reste confondu devant cette perfection. Difficile de quitter Charles Joguet, tant sa compagnie et ses vins sont de qualité. La seule bonne motivation pour quitter sa cave peut être la promesse d'un repas au restaurant « Le Val de Vienne ». Il suffit de traverser la route. Et rassurez-vous : ses vins figurent sur la carte. *(Lire aussi, à propos de Charles Joguet, « Mes aventures dans le vignoble de France » par Kermit Lynch. Dans la même collection.)*

Lambert (Patrick)

Commune: Cravant-les-Coteaux. **Propriétaire:** Patrick Lambert. **Superficie:** 7 ha 85 a. **Age moyen du vignoble:** 20 ans. **Encépagement:** cabernet-franc 7 ha 85 a. **Production:** Chinon rouge 350 hl, Chinon rosé 15 hl. **Vente au domaine et par correspondance:** Patrick Lambert, 6, coteau de Sonnay, 37500 Cravant-les-Coteaux. Tél.: 47.93.92.39. **Visite:** Patrick Lambert, tous les jours (sur R.-V.). **Commercialisation:** vente directe 80 %, négoce 20 %.

Patrick Lambert est à la tête de cette petite exploitation familiale depuis 1991. Il s'attache à y perpétuer les traditions viticoles de sa famille qui a commencé à cultiver la vigne il y a un demi-siècle. Son vin a beaucoup perturbé les dégustateurs, qui ont fini par lui accorder des circonstances atténuantes: il était manifestement en pleine crise d'adolescence, boutons compris. Ils ont quand même salué sa bouche équilibrée et sa pointe de framboise, notant dans un bel ensemble que son nez levuré de pain frais n'allait pas manquer de se révéler. « Laissez-le tranquille », a ajouté l'un d'eux tout prêt à patienter cinq à sept ans pour refaire sauter le bouchon. Un Chinon surprenant, à la mode d'autrefois.

Ligré (Château de)

Commune: Ligré. **Propriétaire:** Pierre Ferrand. **Œnologue-conseil:** Ets Charlot. **Superficie:** 25 ha. **Age moyen du vignoble:** 20 ans. **Encépagement:** cabernet-franc 19 ha 50 a, cabernet-sauvignon 2 ha, chenin 3 ha 50 a. **Production:** Chinon rouge 1 000 hl, Chinon rosé 80 hl, Chinon blanc 175 hl. **Vente au domaine et par correspondance:** Pierre Ferrand, Château de Ligré, 37500 Ligré. Tél.: 47.93.16.70. **Visite:** Fabienne Ferrand, du lundi au vendredi 8 h – 12 h / 14 h - - 18 h 30 (samedi et dimanche sur R.-V.). **Commercialisation:** vente directe 100 % dont export 7 %.

Soyons honnêtes. Le mot « château » est un rien exagéré pour ce bâtiment du XIXe au charme austère. D'autant plus que le village de Ligré et ses éclatantes demeures de tuffeau laissaient espérer un logis à l'avenant. Consolons-nous, Pierre Ferrand ne désespère pas de procéder à quelques travaux pour donner un peu plus de lustre à cette grande maison, qui fut pourtant le premier Chinon à revendiquer le terme « château » en 1963. C'est son grand-père maternel qui a acheté le domaine en 1923. Il y avait alors un seul pauvre hectare de vignes. Notre homme était un fan de vins blancs: il n'hésita donc pas à planter du chenin à une époque où ce dernier était complètement tombé en désuétude. En prenant sa retraite en 1958, il laissa à son gendre, Gatien Ferrand, un domaine qui atteignait 10 hectares. Ce dernier, une figure chinonaise qui fut parmi les fondateurs des Entonneurs Rabelaisiens, augmenta encore la surface de la propriété pour la porter à 28 hectares. Son fils Pierre l'avait rejoint dès 1971 et a pris sa suite en 1988. Gatien Ferrand fut longtemps considéré comme l'apôtre du cabernet-sauvignon en cette contrée « bretonne ». C'est en fait un inspecteur de l'INAO qui l'avait influencé dans les années soixante-dix, en insistant sur le cycle plus court, la plus faible sensibilité au gel et l'apport de couleur et de rondeur de ce cépage. S'il reste encore presque 10 % de cabernet-sauvignon sur la propriété, Pierre Ferrand insiste désormais sur le fait qu'il ne faut pas exagérer avec ce cépage. « Au-delà de 15 %, la typicité du Chinon est mise à mal », précise-t-il. On a également constaté que le cabernet-sauvignon était plus sensible à l'eutypiose. En outre, les progrès réalisés au cours des vingt dernières années pour vinifier le breton rendaient sa culture moins aléatoire. Les vendanges du Château de Ligré sont mécanisées depuis 1982 mais le tri soigné est resté manuel. La gamme de la maison comprend trois niveaux, si l'on excepte les couleurs. La cuvée Pierre, issue de jeunes vignes, représente 10 % du total. La cuvée « Château » constitue le « générique » avec 70 % de la production. Les 20 % qui restent sont vendus sous l'étiquette

Pierre Ferrand est un moderne et authentique châtelain du vin.

« La Roche-Saint-Paul » (voir cette entrée) et produits à partir des plus vieilles vignes du domaine. Mais, dans son vaste chai moderne et fonctionnel – nous l'avons visité un jour d'embouteillage et il donnait vraiment le sentiment fort du fonctionnement –, Pierre Ferrand vinifie tout en cuves séparées. Il peut ainsi proposer à ses plus gros clients des assemblages personnalisés en fonction de leur sensibilité. Une approche « haute couture » assez originale. La cuvée « Château » ne m'a pas vraiment convaincu : un vin de bonne longueur mais assez mou en attaque et globalement décevant. Le Chinon blanc est beaucoup plus réussi, en hommage au grand-père sans doute. Ce vin, qui a effectué une fermentation malolactique pour un quart, révèle un nez puissant. C'est un Chinon de très belle facture, joyeux, fringant et floral, qui mérite le détour.

Logis de la Bouchardière (Le)

Commune : Cravant-les-Coteaux. **Propriétaires :** Serge et Bruno Sourdais. **Chef de culture :** Bruno Sourdais. **Maître de chai :** Serge Sourdais. **Œnologue-conseil :** Francis Duval-Arnoult. **Superficie :** 32 ha. **Age moyen du vignoble :** 27 ans. **Encépagement :** cabernet-franc 29 ha 50 a, cabernet-sauvignon 2 ha 50 a. **Production :** Chinon rouge 1 600 hl, Chinon rosé 30 hl (tous les deux à trois ans seulement). **Vente au domaine et par correspondance :** G.A.E.C. Serge et Bruno Sourdais, La Bouchardière, 37500 Cravant-les-Coteaux. Tél. : 47.93.04.27. **Visite :** Christine, Serge et Bruno Sourdais, du lundi au samedi 8 h 30 – 12 h 30 / 14 h 30 – 18 h 30. **Commercialisation :** vente directe 80 % dont export 8 %, négoce 20 %.

Serge Sourdais est sans conteste un personnage important pour l'appellation. La meilleure preuve est son poste de président du Syndicat des vins d'AOC Chinon qu'il assume depuis quatre ans. Sa discrétion apparente risque de dérouter ses visiteurs, car cet homme mène ses affaires avec efficacité et vinifie avec un réel talent. L'origine de cette grande propriété cravantaise – 38 hectares au total avec les Cornuelles, voir cette entrée – remonte à 1850. Elle s'est transmise de Sourdais en Sourdais depuis cette époque. Serge n'a pas dérogé à cette règle et son fils Bruno qui le seconde désormais appartient à la sixième génération de vignerons sur la propriété. Les vins qui reçoivent l'étiquette « Cuvée Sourdais-Taveau » constituent l'entrée de gamme de la maison. Ce sont les jeunes vignes du domaine – 12 ans – qui produisent d'élégants Chinon de Pâques. On passe ensuite au « Logis de la Bouchardière » proprement dit : la cuvée standard en quelque sorte. Les vignes d'une vingtaine d'années sont récoltées mécaniquement sur les plateaux argilo-siliceux et bénéficient d'une fermentation un peu plus courte – trois semaines quand même – et d'un passage en fûts et en foudres, de quatre à six mois, lui aussi plus court que pour les autres vins de la propriété. Le vin se montre tendre et souple et affiche une agréable personnalité : un Chinon de soif qui s'en tire avec les honneurs grâce à un prix très raisonnable. Plus ambitieux, « Les Clos » sont issus de plateaux et de coteaux orientés plein sud au sol de silex très aride, avec 2 hectares 70 de vignes d'une quarantaine d'années. Les rendements sont ici plus faibles avec un désherbage limité au pied des ceps. Ce vin bénéficie d'une fermentation plus longue, d'un mois, et d'un élevage en foudres de douze mois avec une mise plus tardive. C'est un Chinon beaucoup plus complexe, au nez étourdissant de crème, de banane surmûrie, de pêche, avec une touche de feuilles de cassis et de menthe. Un véritable étal de fruitier ! On salue son équilibre, sa jeunesse et sa vivacité. Nous avons eu le plaisir de déguster en avant-première une autre future star de la maison. Une partie des « Clos » volera en effet dès le millésime 95 de ses propres ailes sous l'étiquette « Les Quatre Ferrures ». Il sera issu d'un terroir de vallée, à la fine couche de graves denses sur argile. Nous avons pu le comparer aux autres Chinon du domaine sur le millésime 89 : il s'agit d'un vin original, à la structure affirmée, moins fermé et plus tannique que les Cornuelles, et très marqué par des senteurs de gibier. Encore un Chinon Sourdais à suivre avec attention. Les caves des aficionados vont finir par être trop petites.

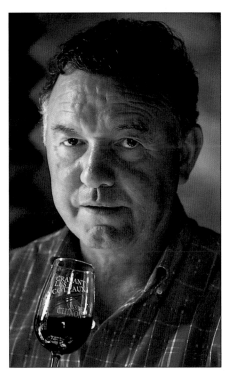
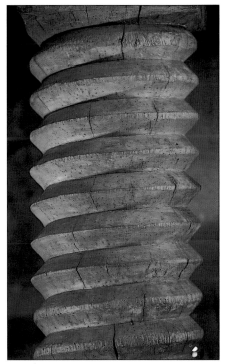

Serge Sourdais préside avec efficacité et discrétion l'A.O.C. Chinon.

Lorieux (Alain)

Communes : Cravant-les-Coteaux et Chinon. **Propriétaire :** E.A.R.L. Pascal et Alain Lorieux. **Chef de culture et maître de chai :** Alain Lorieux. **Superficie :** 6 ha. **Age moyen du vignoble :** 30 ans. **Encépagement :** cabernet-franc 6 ha. **Production :** Chinon rouge 240 hl. **Vente au domaine et par correspondance :** E.A.R.L. Pascal et Alain Lorieux, Malvault, 37500 Cravant-les-Coteaux. Tél. : 47.98.35.11. **Visite :** Alain Lorieux, tous les jours (sur R.-V.). **Commercialisation :** vente directe 100 % dont export 10 %.

Après treize ans dans la fonction publique, Alain Lorieux a décidé d'imiter son frère Pascal. Ce dernier, titulaire d'un BTS à Bordeaux, s'était installé en 1985 à Saint-Nicolas-de-Bourgueil afin d'exploiter deux hectares de vignes. Alain, tenté par l'aventure, a débuté en 1989 avec deux hectares en propriété et trois autres en métayage. Pour marquer une première étape dans leur développement, les deux frères ont décidé de faire cause commune en 1993, en fondant une E.A.R.L. En grand respect de leurs deux nobles terroirs, les Lorieux continuent toutefois de vinifier séparément dans leurs chais respectifs. Ce n'est qu'après la mise en bouteille que leurs productions sont réunies sur la rive nord de la Loire, pour y être commercialisées. Comme le sont souvent les néo-vignerons, Alain Lorieux se montre très prévenant pour ses vignes : vendanges manuelles pour partie, traitements raisonnés et rendements assez faibles. Son terroir varié – deux cinquièmes de tuffeau, deux cinquièmes de coteaux argilo-siliceux, un cinquième de graves d'alluvions – lui permet de présenter des vins souples et friands. Celui que nous avons découvert montre un nez simple et un peu timide de notes végétales. Il se dévoile davantage en bouche avec un bon équilibre et de jolis arômes de fruits. Un premier dégustateur a noté « féminin ». Le second a été plus loin en le qualifiant de « vin de demoiselle », en ajoutant avec poésie qu'il manifestait beaucoup de gentillesse.

Lysardière (Clos)

→ *Paradis (Vignobles du)*

Lysons (Cuvée des)

→ *Saut-au-Loup (Clos du)*

Maçonnière (Domaine de la)

Commune : Beaumont-en-Véron. **Propriétaire :** Bruno Rouiller. **Œnologue-conseil :** Laboratoire Litov. **Superficie :** 14 ha. **Age moyen du vignoble :** 40 ans. **Encépagement :** cabernet-franc 14 ha. **Production :** Chinon rouge 560 hl. **Vente au domaine et par correspondance :** Bruno Rouiller, 10, rue de la Maçonnière, 37420 Beaumont-en-Véron. Tél. : 47.58.96.14. **Visite :** Bruno Rouiller, du lundi au samedi (sur R.-V.) 8 h – 12 h / 14 h – 18 h. **Commercialisation :** vente directe 40 % dont export 10 %, négoce 60 %.

Bruno Rouiller s'est installé en 1989 pour prendre la suite de son oncle. En 1994, les vignes de son père sont venues compléter les terres de notre jeune vigneron. Il se trouve donc désormais à la tête de 14 hectares situés sur les coteaux graveleux de Beaumont-en-Véron. Il nous a proposé un Chinon de l'année très typique de son millésime, d'une belle robe rubis clair, au nez minéral, prolongé par une bouche boisée à la finale encore sèche. Un vin agréable qu'il fera bon déguster en sa compagnie dans la pénombre du tuffeau.

Marie-Justine (Cuvée)

→ *Perrière (Domaine de la)*

Marronniers (Clos des)

→ *Roncée (Domaine du)*

Martinet (Clos du)

→ *Guertin (Paul)*

Millarges (Domaine des)

Commune : Chinon. **Propriétaire :** lycée agricole de Tours-Fondettes. **Directeur :** Paul Hubert. **Chef de culture et maître de chai :** Jean-Claude Gravier. **Superficie :** 25 ha. **Age moyen du vignoble :** 18 ans. **Encépagement :** cabernet-franc 21 ha 50 a, cabernet-sauvignon 1 ha 50 a, chenin 1 ha. **Production :** Chinon rouge 1 300 hl, Chinon rosé 25 hl, Chinon blanc 25 hl. **Vente au domaine et par correspondance :** centre viti-vinicole du lycée agricole de Tours-Fondettes, Les Fontenils, 37500 Chinon. Tél. : 47.93.36.89. **Visite :** Paul Hubert et Jean-Claude Gravier, du lundi au vendredi (sur R.-V.) 8 h -12 h / 14 h – 17 h. **Commercialisation :** vente directe 30 % dont export 3 %, négoce 70 %.

Domaine des Millarges : le vin est à bonne école.

Le lycée agricole de Tours-Fondettes a créé cette antenne viti-vinicole en 1974, avec l'aide du conseil général d'Indre-et-Loire qui a acquis les terrains. Les objectifs de ce centre dépassent le strict plan scolaire. Il sert bien sûr de lieu de travaux pratiques grandeur nature aux deux classes de techniciens supérieurs en viticulture et œnologie de Tours. Il offre également un terrain d'expérimentation viticole et œnologique en liaison avec les organismes de la région : ATAV, INRA, chambre d'agriculture, laboratoire départemental... et un site d'accueil pour des visites techniques. Dans un souci de placer les élèves face à toutes les situations, le lycée pratique une majorité de vendanges manuelles, avec quelques parcelles récoltées à la machine. La vigne est désherbée sur le rang et cultivée entre les rangs, tandis qu'une taille à demi-baguettes permet de mieux répartir les raisins et de maîtriser les rendements. La vinification est tout aussi soignée, avec une vendange égrappée et non foulée en cuve inox, une fermentation à 28° – remontée à 32° en fin de cycle afin d'extraire les tanins –, une cuvaison de vingt jours et un élevage en bois de six mois en cave de tuffeau. Il faut ajouter que la cave en question mérite le détour, avec son pressoir du XIIᵉ creusé dans le roc et son superbe pigeonnier troglodyte du XVᵉ. Autant l'avouer, nous avons été un peu déçus par le 92, issu de plateaux sableux sur sous-sol de millarge calcaire. Un terroir peu profond, sec et filtrant, à l'origine de vins précoces mais à boire rapidement. Cette cuvée se montre un bon vin de soif, agréable mais léger, et pour tout dire assez inattendu dans le contexte chinonais. Le 93, en revanche, nous montre que les élèves savent aussi réussir de beaux Chinon. S'il se montre également un peu court, il arbore un joli nez de poivron et une bouche agréable et souple, très typique de l'appellation. Le terroir léger des Millarges interdit toutefois d'espérer conserver ce Chinon au-delà de trois ou quatre ans. Mais pourquoi donc attendre ? Ajoutons que d'autres parcelles du centre se trouvent dans la région de plateaux calcaires argilo-sableux des puys du Véron et bénéficient d'un microclimat sec et venteux. Signalons enfin que, depuis le millésime 93, tous les vins du centre viti-vinicole sont diffusés sous l'étiquette « Domaine des Millarges ».

Moulin à Tan (Le)

Commune : Cravant-les-Coteaux. **Propriétaire :** Pierre Sourdais. **Super-ficie :** 28 ha. **Age moyen du vignoble :** 25 ans. **Encépagement :** cabernet-franc 28 ha. **Production :** Chinon rouge 1 200 hl. **Vente au domaine et par correspondance :** E.A.R.L. Pierre Sourdais, Le Moulin à Tan, 37500 Cravant-les-Coteaux. Tél. : 47.93.31.13. **Visite :** Pierre Sourdais, tous les jours (sur R.-V.) 8 h – 12 h / 14 h – 19 h. **Commercialisation :** vente directe 80 % dont export 5 %, négoce 20 %.

Pierre Sourdais travaillait depuis 1972 sur la propriété familiale. Il décida de s'installer à son compte et de dissocier son activité de celle de son frère en 1981, ce qui entraîna le morcellement de l'exploitation. Le Moulin à Tan n'en a pas trop souffert puisqu'il compte aujourd'hui 22 hectares de vignes répartis sur les terroirs cravantais : des graves de terrasses de plaine, des coteaux argilo-siliceux et des plateaux argilo-calcaires. Bien sûr, Pierre Sourdais a dû cracher dans ses mains pour creuser sa cave et aménager un superbe chai à mi-chemin entre le vieux bourg et le Cravant d'aujourd'hui. Celui-ci a reçu récemment huit foudres ovales de chêne neuf, ornés de sculptures : chacune porte l'une des lettres du nom de la fille de la maison. A vous d'aller le découvrir. Un souci louable de transparence et d'explication didactique de la chose viticole à ses visiteurs le conduit à mettre la dernière main à un ambitieux projet : la construction d'une tour panoramique de 22 mètres, équipée d'un ascenseur, qui reliera la cave au chai de vinification. Elle permettra de découvrir tout le vignoble. En vigneron attentionné, Pierre Sourdais laboure ses rangs, désherbe sous le pied et ne récolte qu'à la main. Il procède pour sa cuvée Stanislas à un remontage et à un pigeage manuel deux fois par jour, avant de faire vieillir ses vins huit à douze mois dans les foudres. Cette cuvée est en fait issue de sélections de vins du domaine, seuls les meilleurs étant retenus. Tous les vignerons de Chinon aimeraient réussir des vins comme celui-là : un nez intense de fruits rouges, délicatement torréfié, une belle structure tannique qui n'assèche pas et une bouche dominée par le café et les fruits mûrs. Il s'agit manifestement d'un vin de garde, mais on peut l'apprécier dès à présent. Notons que pour cette cuvée en bouteille sérigraphiée, fruit de toutes ses attentions, Pierre Sourdais propose son propre avis sous forme de clin d'œil. Le verre qui figure sur la bouteille est, selon les années, plein au tiers, aux deux tiers ou en totalité, afin d'exprimer par ordre croissant l'opinion du propriétaire. Passons rapidement sur la cuvée tradition du domaine, dont le mode d'élaboration est très proche de celui de la cuvée Stanislas. Elle est constituée de tous les vins qui ont été recalés en dégustation, mais, ici, la barre est haute. « Les Rosiers » proviennent d'un terroir spécifique de plaine, planté de jeunes vignes de 5 à 10 ans : il en résulte un « Chinon de Pâques » typique et sympathique. Je terminerai en soulignant que Pierre Sourdais et son épouse, en hôtes prévenants, proposent également trois gîtes ruraux pour tous ceux qui désirent effectuer quelques travaux pratiques sur les vins du cru.

Neuilly (Clos de)

→ *Carroi-Portier (Domaine du)*

Niverdière (Clos de la)

→ *Paradis (Vignobles du)*

Noblaie (Domaine de la)

Commune : Ligré. *Propriétaire :* S.C.E.A. Manzagol-Billard. *Directeur :* Madeleine Billard. *Chef de culture et maître de chai :* François Billard. *Superficie :* 12 ha. *Age moyen du vignoble :* 30 ans. *Encépagement :* cabernet franc 10 ha, cabernet-sauvignon 5 a, chenin 1 ha 5 a. *Production :* Chinon rouge 425 hl, Chinon rosé 80 hl, Chinon blanc 60 hl. *Vente au domaine et par correspondance :* S.C.E.A. Manzagol-Billard, La Noblaie, Le Vau Breton, 37500 Ligré. Tél. : 47.93.10.96. *Visite :* Jacqueline Manzagol, Madeleine et François Billard, du lundi au samedi (sur R.-V.) 9 h – 12 h / 14 h – 17 h. *Commercialisation :* vente directe 80 % dont export 15 %, négoce 20 %.

C'est en 1952 que Pierre Manzagol, un commerçant parisien, a acheté ce vieux domaine viticole, déjà réputé au début du siècle pour la qualité de ses vins blancs. La propriété était alors totalement en friche et notre homme dut déployer de nombreux efforts pour redonner à la maison son lustre passé. François Billard, son gendre, qui est aussi professeur d'œnologie au lycée viticole de Montreuil-Bellay, l'a beaucoup aidé dans cette tâche, en apportant sa science de la vinification. Le vignoble est situé sur un val perpendiculaire à la vallée de la Vienne, orienté au sud-est, qui bénéficie d'un microclimat particulier. C'est ce qui lui a valu de ne geler qu'à 20 % en 1991 et de passer au travers de ce fléau en 1994. On sait que les profs doivent montrer l'exemple : c'est exactement ce à quoi

Jacqueline Manzagol veille toujours aux grains. ▶

161

s'est attaché François Billard. Sur ce terroir argilo-calcaire sur calcaire, il désherbe sous le rang et enherbe l'inter-rang, afin d'éviter le ravinement et de maîtriser ses rendements, et il ne récolte qu'à la main. Après un égrappage soigné, il vinifie en veillant à conserver l'intégrité des grains, et contrôle les températures de fermentation. Notons enfin que les vins sont élevés en bois usagé durant six mois pour une mise à l'automne. Cette attention fait du vin de la Noblaie un Chinon original et rustique, taillé pour la garde. Nous l'avons sûrement ouvert trop tôt pour en obtenir toute la quintessence : il faudrait pouvoir attendre encore trois ou quatre ans. C'est du moins ce que soulignent ses tanins encore agressifs et son amertume finale. Les plus impatients pourront se consoler avec le superbe Chinon blanc de la maison. Avec son nez de fleurs blanches et sa bouche de miel d'acacia, il confirme la tradition « cheninienne » de l'endroit.

Noiré (Clos de)

→ *Haute Olive (Domaine de la)*

Olive (Clos de l')

→ *Couly-Dutheil*

Pain (Domaine Charles)

Commune : Panzoult. **Propriétaire :** Charles Pain. **Superficie :** 18 ha. **Age moyen du vignoble :** 30 ans. **Encépagement :** cabernet-franc 18 ha. **Production :** Chinon rouge 760 hl, Chinon rosé 100 hl. **Vente au domaine et par correspondance :** E.A.R.L. Charles Pain, Chézelet, 37220 Panzoult. Tél. : 47.93.06.14. **Visite :** Isabelle et Charles Pain, tous les jours. **Commercialisation :** vente directe 100 % dont export 5 %.

Charles Pain s'est installé en 1986 et constitue la troisième génération de Pain sur l'exploitation. Celle-ci existe depuis plus d'un siècle et a toujours eu une politique de vente directe au particulier, même lorsque ce n'était pas encore la mode. Autre tradition familiale de ces Pain, qui ne sont décidément pas perdus, celle de truster les médailles et les distinctions. Le terroir de Charles Pain est situé en plaine et en plateaux, entre le coteau et la Vienne, sur la rive droite. C'est une zone de sols argilo-siliceux au climat particulièrement doux. Le propriétaire y exerce son art avec un soin maniaque : chaque cep est travaillé une dizaine de fois par la main de l'homme. C'est la conséquence d'une taille puis d'un égourmandage sévères, du labour des rangs, qui sont ensuite griffés, puis d'une récolte mécanisée, précédée de solides contrôles de maturité. Le même souci se retrouve dans les chais : les baies sont placées pour la macération en cuves de ciment afin de les protéger immédiatement de l'air, la fermentation est longue et conduite à température contrôlée – départ à 32°, fin à 24°. Quant à l'élevage, il est bien sûr effectué sous bois, en foudres avec le souci d'aérer les vins pour affirmer la typicité de son Chinon. Charles Pain nous a proposé trois vins. Une cuvée « Prestige » d'un an pour démarrer : un vin classique, au nez trop discret, sans grand défaut mais sans personnalité marquée, qui devra être bu assez jeune. La cuvée « Domaine » du millésime précédent – le difficile 92 – s'est montrée plus convaincante et apte à la garde, avec son nez de petits fruits bien mûrs et ses arômes encore un peu fermés, épicés et légèrement boisés. Petite déception par contre pour le rosé de saignée de l'année, issu d'une légère fermentation avec la baie – 24 à 72 heures – et d'une fermentation à basse température. Chacun s'est accordé pour le trouver court et inexpressif, ce qui étonne chez ce vigneron qui vinifie près de 15 % de sa récolte en rosé. A revoir.

162

Traditionnel paysage viticole à Cravant.

Pallus (Domaine de)

Commune : Cravant-les-Coteaux. **Propriétaire :** Jean-Bernard Sourdais. **Œnologue-conseil :** Laboratoire Litov. **Superficie :** 16 ha. **Age
moyen du vignoble :** 20 ans. **Encépagement :** cabernet franc 14 ha 7 a,
cabernet-sauvignon 1 ha, chenin 3 a. **Production :** Chinon rouge 550 hl,
Chinon rosé 50 hl, Chinon blanc 15 hl. **Vente au domaine et par correspondance :** Jean-Bernard Sourdais, Le Pallus, 37500 Cravant-les-
Coteaux. Tél. : 47.93.00.05. **Visite :** Jean-Bernard Sourdais, tous les
jours 8 h – 20 h. **Commercialisation :** vente directe 60 %, négoce 40 %.

Pallus signifiait initialement « marais ». Le lieu-dit connut ainsi une soudaine célébrité, il y a deux siècles,
à cause des sangsues que l'on trouvait dans les marais environnants. Celles-ci étaient alors fort prisées
pour l'exercice de la médecine. Jean-Bernard Sourdais a pris en 1973, par pure passion viticole, le relais
de sa grand-mère qui exploitait quelques hectares ici même. Pour être tout à fait précis, ladite grand-
mère, qui s'était installée en 1950, devait cultiver un peu de breton, un peu de grolleau, des fraisiers et
beaucoup d'autres choses. Son ancêtre, qui avait créé l'exploitation en 1880, avait alors montré l'exemple
en plantant 3 ou 4 hectares de vignes et en pratiquant le sport national, la polyculture, sur le reste des
terres. Le Domaine de Pallus est désormais totalement consacré au vin et compte 16 hectares, avec un
bel assortiment de toutes les possibilités ampélographiques de l'appellation. Nous n'avons eu à connaître
que le rouge : un Chinon classique, au nez de champignons et de poivrons et à la bouche de cassis, auquel
on peut seulement reprocher un certain manque de longueur.

Paradis (Vignobles du)

Communes : Chinon et Beaumont-en-Véron. **Propriétaire :** Vignobles du Paradis. **Directeur :** Jean-Louis Breton. **Chef de culture et maître de chai :** Alain Barillon. **Œnologue-conseil :** Laboratoire Litov. **Superficie :** 12 ha 70 a. **Age moyen du vignoble :** 11 ans. **Encépagement :** cabernet-franc 12 ha 50 a, chenin 20 a. **Production :** Chinon rouge 500 hl, Chinon blanc 10 hl. **Vente au domaine et par correspondance :** Vignobles du Paradis, 2, impasse du Grand-Bréviande, 37500 La Roche-Clermault. Tél. : 49.98.09.09. **Visite :** Jean-Louis Breton, Clos du Paradis, 57, rue du Véron, 37420 Beaumont-en-Véron, tous les jours d'avril à octobre (sinon sur R.-V.) 9 h – 12 h / 14 h – 18 h. **Commercialisation :** vente directe 95 % dont export 1 %, négoce 5 %.

Le Centre d'aide par le travail (C.A.T.) des Chevaux Blancs à Loudun était à l'origine, comme tous ses confrères, plus porté sur les activités de conditionnement, de blanchisserie ou d'entretien d'espaces verts. Mais, lorsque l'on emploie des travailleurs handicapés mentaux adultes, il faut parfois faire preuve d'imagination. Ce sont en fait les problèmes rencontrés dans les ateliers de conditionnement par de jeunes handicapés, issus du monde rural, qui ont donné des idées au directeur de ce C.A.T. Ce dernier portait en outre un nom prédestiné : Jean-Louis Breton. Il décida donc en 1989 de tenter l'expérience de créer avec ses protégés un vignoble à Chinon. L'objectif était tout simplement d'intégrer au mieux les jeunes handicapés et de les valoriser par une tâche noble et digne. L'aventure ne démarra pourtant pas sans mal : la première récolte était attendue en 1991, et, faute de Paradis, le gel causa un véritable enfer. Heureusement, le projet allait vite prendre une meilleure tournure avec, pour la première vraie récolte en 1992, une mention au *Guide Hachette*. Les choses ont encore évolué depuis, avec la rénovation de la cave de tuffeau de Beaumont-en-Véron et le démarrage d'une activité de négoce de vins. Il faut dire que les hommes du Paradis sont soigneux et respectueux de ce terroir de confluence – les 3 hectares de la Niverdière – d'argilo-calcaire et de graves : vignes labourées, rendements maîtrisés, vendanges manuelles et, pour la vinification, un long passage en fûts et une mise qui peut intervenir jusqu'à un an et demi après la récolte. C'est peut-être d'ailleurs le bois qui a dérangé notre jury : le nez de cerise cède la place à une bouche vanillée où les tanins sont trop présents. Un vin qui devrait patienter pour que le bois

se fonde, mais dont la structure risque de ne pas supporter une trop longue attente. Dilemme ! Les vignobles du Paradis disposent également de 8 hectares à Chinon, le Clos de la Lysardière – dont 20 ares sont complantés de chenin –, et des 70 ares du Clos du Paradis à Beaumont. Et la belle aventure ne semble pas près de s'achever puisque – scoop ! – Jean-Louis Breton et son équipe devraient reprendre en location début 1996 les 11 hectares de vignes du château de Rivière. Après, ils se calment, promis ! Mais il est sûr qu'avec la bénédiction de saint Pierre, et l'aide bienveillante de saint Vincent, ils ont déjà quitté le purgatoire.

◄ *Un petit coin de paradis.*

Parc de Saint-Louans (Clos du)

Commune : Chinon. **Propriétaire :** Louis Farou. **Superficie :** 11 ha. **Age moyen du vignoble :** 45 ans. **Encépagement :** cabernet-franc 11 ha. **Production :** Chinon rouge 475 hl, Chinon rosé 25 hl. **Vente au domaine et par correspondance :** Louis Farou, Clos du Parc de Saint-Louans, rue de la Batellerie, 37500 Chinon. Tél. : 47.93.07.14. **Visite :** Huguette Farou et Fabrice Nicolet, du lundi au samedi (sur R.-V.) 10 h – 11 h 30 / 15 h – 17 h 30. **Commercialisation :** vente directe 100 % dont export 8 %.

Louis Farou est une importante figure du terroir.

Le nom de ce faubourg de Chinon provient de saint Louans, un ermite du Ve siècle, qui avait la bonne habitude de guérir les plaies du corps et de l'âme avec du vin. Il ne s'agissait pas encore des vins de Louis Farou, sinon le Chinon serait remboursé par la Sécurité sociale. Cela dit, les préceptes de Louans n'étaient pas si idiots que cela, qui prétendaient que la maladie n'existait pas et qu'il suffisait de boire régulièrement un verre de vin pour prévenir toute attaque infectieuse. Chacun vous le dira, Louis Farou est un vigneron incontournable, une valeur sûre et une référence à Chinon. Son vignoble est d'origine familiale et s'est progressivement agrandi sous l'influence des générations de vignerons qui s'y sont succédé. La cave n'est pas difficile à trouver, sur le bord de la route qui longe la Vienne, en quittant Chinon vers Beaumont. C'est là que Louis Farou cultive ses 11 hectares de cabernet-franc et les récolte entièrement à la main, sur un terroir argilo-calcaire exposé plein sud. Les cuves de l'endroit ont la particularité d'être à demi enfouies dans le roc, ce qui garantit une conservation sans écarts de température. Les deux vins que nous a présentés Louis Farou ont provoqué le même enchantement. Le 93, pour son équilibre, sa structure et ses fruits rouges prometteurs agrémentés d'une note de fougères : un Chinon d'une grande élégance qui possède un bel avenir devant lui. Le 86 demande également à mûrir encore un peu. C'est quand même un enfant surdoué avec son nez de cuir et sa bouche de confitures. Dommage que le goulot ne soit pas plus large, on ne peut y tremper les doigts !

Perrière (Domaine de la)

Commune : Cravant-les-Coteaux. **Propriétaires :** Jean et Christophe Baudry. **Œnologue-conseil :** Jacques Puisais. **Superficie :** 48 ha. **Age moyen du vignoble :** 28 ans. **Encépagement :** cabernet-franc 45 ha, cabernet-sauvignon 3 ha. **Production :** Chinon rouge 2 300 hl, Chinon rosé 75 hl. **Vente par correspondance :** Jean et Christophe Baudry, La Perrière, 37500 Cravant-les-Coteaux. Tél. : 47.93.15.99. **Visite :** Jean et Christophe Baudry, coteau de Sonnay, 37500 Cravant-les-Coteaux, du lundi au samedi (sur R.-V.). **Commercialisation :** vente directe 80 % dont export 15 %, négoce 20 %.

Christophe Baudry, malgré ses 33 ans, peut se prévaloir d'un riche passé vigneron. Non seulement parce que son père, Jean, qui l'a précédé, lui a enseigné toutes les ficelles du métier avant de lui céder la place en 1990, mais aussi et surtout parce que l'on trouve trace des Baudry à la Perrière depuis 1664. Rassurons-nous, il s'agit là du seul point commun avec une célèbre bière. En fait, le lustre actuel de la propriété est assez récent. Le phylloxéra avait totalement ravagé la Perrière qui fut replantée lentement au début du siècle avec des cépages divers. Il fallut attendre Maurice Baudry, le grand-père de Christophe, dans les années trente, pour entrevoir ce que ce domaine allait devenir. C'est lui qui a commencé à reconstituer la propriété en échangeant et en regroupant ses terres sur les terrasses graveleuses de la rive nord de la Vienne. Il n'avait toutefois pu qu'entamer la replantation du domaine. C'est donc Jean Baudry qui a poursuivi cette tâche pour aboutir aux 38 hectares que l'on connaît aujourd'hui. Ajoutons d'ailleurs que les Baudry exploitent en parallèle les 10 hectares du domaine voisin de la Doulaie. Désormais, si Christophe règne en maître sur la culture et les vinifications, Jean reste actif et supervise les ventes dans la cave située sur les hauteurs de Cravant – juste à côté de celle de son frère Bernard. Notons que sur cette exploitation éminemment familiale – les épouses de nos deux vignerons y font leur part de travail – les six employés font partie de la tribu. La cuvée de vieilles vignes nous a laissés sur notre faim, son nez prometteur de poivron vert ne débouchant pas sur une bouche aussi ample. La patience nous a toutefois montré que l'aération pouvait lui être salutaire. C'est un vin que l'on aimerait bien revoir dans six mois, lorsqu'il aura digéré sa mise en bouteille. Le rosé « Cuvée Marie-Justine » de l'année, un millésime difficile pour cet exercice, nous a davantage convaincus pour un plaisir immédiat. S'il se montre assez peu expansif en arômes, on peut saluer sa douceur et la chaleur qui termine la bouche. Il s'agit d'un rosé de saignée, qui a bénéficié d'une macération de douze heures et d'une vinification à 20°.

Peuilles (Les)

→ *Raffault (Domaine Olga)*

Picasses (Les)

→ *Raffault (Domaine Olga)*

Pierre (Cuvée)

→ *Ligré (Château de)*

◄ *L'art vigneron de Christophe Baudry est né en 1664.*

Plessis-Gerbault (Clos du)

→ *Vaugaudry (Château de)*

Poëlerie (Vignoble de la)

Commune : Panzoult. **Propriétaires :** Guy et François Caillé. **Chef de culture et maître de chai :** François Caillé. **Œnologue-conseil :** Laboratoire départemental. **Superficie :** 13 ha. **Age moyen du vignoble :** 20 ans. **Encépagement :** cabernet-franc 13 ha. **Production :** Chinon rouge 450 hl, Chinon rosé 100 hl. **Vente au domaine et par correspondance :** Guy et François Caillé, Vignoble de la Poëlerie, 37220 Panzoult. Tél. : 47.58.53.16. **Visite :** Yvette, Claude, Guy et François Caillé, du lundi au samedi 10 h – 12 h 30 / 14 h 30 – 18 h. **Commercialisation :** vente directe 65 % dont export 5 %, négoce 35 %.

Cette propriété entama sa carrière viticole au milieu du siècle dernier. Entièrement détruite par le phylloxéra, elle ne fut replantée, par les ancêtres des Caillé d'aujourd'hui, que vers 1920. Le domaine est désormais conduit par Guy et son fils François. Tous deux se sont attachés à effectuer un gros effort qualitatif qui s'est traduit depuis 1965 par de nombreuses médailles. Les vignes de la Poëlerie sont situées sur les terrasses graveleuses de la rive nord de la Vienne. Elles sont cultivées de façon traditionnelle, avec labour et vendanges manuelles pour les 2 hectares de vieilles vignes. Nous avons pu apprécier son nez de sous-bois teinté de réglisse ; sa bouche montre une petite pointe métallique et des tanins un peu agressifs. Il faut noter que les Caillé – les deux épouses de nos vignerons travaillent également sur l'exploitation – proposent aux amoureux de la nature une originale formule de camping à la ferme. Les Canadiennes apprécieront...

167

Poterne (Domaine de la)

Communes: L'Ile-Bouchard, Panzoult et Crouzilles. *Propriétaire:* Christian Delalande. *Superficie:* 11 ha. *Age moyen du vignoble:* 20 ans. *Encépagement:* cabernet-franc 11 ha. *Production:* Chinon rouge 500 hl, Chinon rosé 25 hl. *Vente au domaine et par correspondance:* Christian Delalande, 48, rue de la Liberté, 37220 L'Ile-Bouchard. Tél.: 47.58.67.99. *Visite:* Christian Delalande, tous les jours (sur R.-V.). *Commercialisation:* vente directe 20 %, négoce 80 %.

Il existe un rapport certain entre les deux domaines de la Poterne cités dans ce livre. Les deux Delalande qui les animent sont en fait père et fils. Ils présentent la même raison sociale – et des étiquettes presque identiques – mais conservent des exploitations séparées dans l'immédiat. La Poterne qui nous intéresse ici est celle de Christian, le fils. Je vous invite à découvrir la Poterne suivante pour vous faire une idée de l'histoire de la famille. Il faut remarquer en premier lieu que tous deux ont passé l'examen de notre dégustation avec une aisance déconcertante. Ils se présentaient de plus avec des vins de l'année, un millésime rendu difficile par les gelées tardives. On sait que les meilleurs vignerons se révèlent dans l'adversité, et les Delalande ne faillissent pas à la règle. Leur vendange exclusivement manuelle leur a permis de faire un tri soigneux des grappes, qu'un mois de septembre pluvieux avait encore mises à mal par un accès de pourriture. Christian Delalande s'est installé en 1987 pour poursuivre la tradition viticole familiale. Un signe qui ne trompe d'ailleurs pas: notre homme parle de passion familiale, plus que de tradition. Il exploite désormais onze hectares en limite est de l'appellation, sur un terroir de graves au sous-sol argilo-calcaire de graviers profonds. Les dégustateurs ont adoré le nez de bourgeons de cassis, l'attaque franche, la longueur et les arômes de fruits rouges rehaussés d'une touche boisée de ce vin qui devrait évoluer favorablement. Un très très beau Chinon typique.

Christian Delalande.

Poterne (Domaine de la)

Commune: L'Ile-Bouchard. *Propriétaire:* Robert Delalande. *Superficie:* 5 ha. *Age moyen du vignoble:* 30 ans. *Encépagement:* cabernet-franc 5 ha. *Production:* Chinon rouge 210 hl. *Vente au domaine et par correspondance:* Robert Delalande, Montet, 37220 L'Ile-Bouchard. Tél.: 47.58.52.54. *Visite:* Robert Delalande, du lundi au samedi (sur R.-V.). *Commercialisation:* vente directe 60 %, négoce 40 %.

J'espère que Robert Delalande nous pardonnera d'avoir attribué à son fils une meilleure note que la sienne. Rassurons-le, l'écart était ténu et tous deux se situent au plus haut de l'appellation. Les origines du Domaine de la Poterne sont anciennes puisqu'il dépendait du château de la Roncée, rasé sous la Révolution. Il ne subsiste de cette demeure qu'un pigeonnier – la fuye – situé à environ un kilomètre de la cave. On sait qu'en 1891 l'exploitation comptait de six à sept hectares. Le grand-père de Robert Delalande en fit l'acquisition en 1920. Robert possédait cinq hectares de vignes en production en 1978. Mais il avait également d'autres parcelles classées en appellation qu'il a progressivement plantées pour permettre à son fils de faire démarrer sa propre exploitation. Le terroir de Robert est très comparable à celui de Christian, tout comme leurs méthodes et le soin qu'ils mettent à vinifier. On ne s'étonnera donc pas de retrouver un beau Chinon de caractère, au nez épicé de réglisse et à l'attaque tendre de cassis et de fruits rouges. Notre jury aimerait le revoir dans un an, certain d'y trouver alors une typicité encore plus épanouie.

Prieur (Pierre)

Commune : Savigny-en-Véron. *Propriétaire :* Pierre Prieur. *Superficie :* 10 ha. *Âge moyen du vignoble :* 30 ans. *Encépagement :* cabernet-franc 10 ha. *Production :* Chinon rouge 450 hl. *Vente au domaine et par correspondance :* Pierre Prieur, 1, rue des Mariniers, Bertignolles, 37420 Savigny-en-Véron. Tél. : 47.58.45.08. *Visite :* Pierre Prieur, tous les jours (sur R.-V.). *Commercialisation :* vente directe 70 %, négoce 30 %.

Sur ce vignoble de gravier et de sables, situé près du confluent de la Vienne et de la Loire, Pierre Prieur récolte un joli Chinon à la robe foncée et brillante qui retient l'attention par une attaque souple et de beaux tanins. On peut être un peu dérouté par un nez d'abord lactique qui évolue ensuite favorablement. Comme pour Cyrano, il ne faut pas trop s'y fier : ce vin pourra vieillir sans causer de tracas à son propriétaire. Ajoutons que la cave est située dans le charmant village marinier de Bertignolles : cela peut inciter les indécis à pousser jusque-là pour y admirer les rives de Loire.

Puy (Domaine du)

Commune : Cravant-les-Coteaux. **Propriétaires :** James et Patrick Delalande. **Chef de culture :** Patrick Delalande. **Superficie :** 24 ha. **Age moyen du vignoble :** 30 ans. **Encépagement :** cabernet-franc 24 ha. **Production :** Chinon rouge 1 100 hl. **Vente au domaine et par correspondance :** G.A.E.C. du Puy, James et Patrick Delalande, Le Puy, 37500 Cravant-les-Coteaux. Tél. : 47.98.42.31. **Visite :** Patrick Delalande, tous les jours (sur R.-V.). **Commercialisation :** vente directe 50 %, négoce 50 %.

La maison du Puy a été édifiée par Alexis Delalande en 1820, sur un terrain qui faisait partie de la seigneurie du Puy. L'habitation de cette seigneurie existe d'ailleurs encore à proximité. Les Delalande se sont depuis succédé dans cette demeure pour aboutir aujourd'hui à la cinquième génération de vignerons. James et Patrick nous ont proposé un vin assez timide, au nez discret de lavande et à la bouche teintée de caramel. Il faudra l'apprécier rapidement.

Quatre Ferrures (Les) → Logis de la Bouchardière (Le)

Quatre Vents (Domaine des)

Commune : Cravant-les-Coteaux. **Propriétaire :** Philippe Pion. **Superficie :** 16 ha. **Age moyen du vignoble :** 35 ans. **Encépagement :** cabernet-franc 16 ha. **Production :** Chinon rouge 690 hl, Chinon rosé 35 hl. **Vente au domaine et par correspondance :** Philippe Pion, Domaine des Quatre Vents, La Bâtisse, 37500 Cravant-les-Coteaux. Tél. : 47.93.46.79. **Visite :** Philippe Pion, tous les jours (sur R.-V.). **Commercialisation :** vente directe 60 %, négoce 40 %.

Philippe Pion s'est installé aux Quatre Vents en 1984. Il disposait alors de 8 hectares 50 et avait vendu cette année-là 95 % de sa production au négoce. Les choses ont bien évolué depuis, avec un fort développement de la clientèle particulière, une surface quasiment doublée et l'aménagement du chai. Philippe Pion nous a proposé un petit Chinon sans prétention, rattrapé par un prix d'ami. Son nez de châtaignier légèrement lactique, sa bouche de cerise et ses teintes viscérales ne déclenchent pas les passions. Un vin à boire rapidement.

Raffault (Domaine Olga)

Commune : Savigny-en-Véron. **Propriétaire :** Jean Raffault. **Superficie :** 23 ha. **Age moyen du vignoble :** 40 ans. **Encépagement :** cabernet-franc 21 ha 85 a, Chenin 1 ha 15 a. **Production :** Chinon rouge 1 000 hl, Chinon blanc 60 hl. **Vente au domaine et par correspondance :** Jean Raffault, 1, rue des Caillis, Roguinet, 37420 Savigny-en-Véron. Tél. : 47.58.42.16. **Visite :** Jean Raffault, du lundi au vendredi (sur R.-V.) 9 h – 12 h / 14 h – 18 h, samedi 9 h – 12 h. **Commercialisation :** vente directe 100 % dont export 20 %.

Olga Raffault, 81 ans, est une légende viticole vivante. Si elle a désormais passé les rênes de son domaine à son fils Jean et à son épouse Irma, Olga continue de témoigner de son riche passé de « vigneronne » auprès de ses visiteurs. Elle s'est mariée en 1931 à un cultivateur de Savigny. En réunissant les terres des deux familles, les jeunes époux possédaient alors un ensemble de plus de trois hectares de vignes – avec quelques chevaux et de la polyculture – tout à fait enviable dans le Véron. Les Raffault pouvaient toutefois se vanter d'être déjà des vignerons à l'époque. En 1947, le mari d'Olga Raffault est emporté par une maladie foudroyante. Cette maîtresse femme ne baisse pas les bras et réécrit alors à sa façon l'histoire de sa propre mère qui était devenue veuve lors du premier conflit mondial. A l'époque, le domaine était surtout tourné vers la culture de l'asperge, et Olga avoue que c'est sûrement

Olga Raffault est une grande dame du vin de Chinon.

ce légume qui sauva l'exploitation lors des premières années qui suivirent la guerre. Mais le vin recommença vite à intéresser la maison. C'est qu'un jeune prisonnier de guerre allemand affecté à la ferme, Ernst Zeiniger, coiffeur de formation, venait de trouver, entre Loire et Vienne, la passion de sa vie. Notre homme ne devait plus quitter le domaine qu'il aida à développer avec talent sur la voie de l'appellation. Très jalousé dans la région, par son sérieux et la qualité de ses vins, Ernst s'est éteint en 1992. Une chose est sûre, il ne s'était jamais résolu à faire du breuvage, et, considérant que le vin était un produit sacré, il a beaucoup œuvré pour donner au Chinon des lettres de noblesse. Depuis le début des années cinquante, le domaine ne s'est pas vraiment développé, mais il s'est progressivement consacré exclusivement au vin, et à l'appellation en particulier, au point de compter désormais 23 hectares de vignes. Les techniques du domaine sont restées éminemment traditionnelles : vignes labourées, récolte manuelle – qui donne toujours lieu à une grande fête avec le personnel en fin de vendanges –, élevage d'un an en fûts, avec toutefois de saines évolutions vers le modernisme. Passons sur les vinifications en maîtrise de température et insistons sur le pressoir pneumatique, installé ici en 1984, et sur la vinification séparée des différents clos de la propriété. Nous avons pu juger avec plaisir plusieurs vins du domaine, constatant que l'esprit d'Ernst et d'Olga restait bien présent. La finesse des « Peuilles » 90, délicatement boisé, un très beau vin aux tanins très fondus, la complexité et les arômes subtils de fruits rouges du 88, ou encore la puissance et la structure du « Domaine Olga Raffault » 93, avec son acidité marquée et ses tanins prometteurs, en sont de constants exemples. Il faut aussi souligner que le domaine possède plusieurs joyaux. C'est le cas des vignes centenaires situées sur Beaumont, mais aussi du fameux « Champ Chenin » au nom prédestiné pour la production de Chinon blanc. Olga répète encore à l'envi qu'elle était bien difficile « à faire », cette parcelle d'un hectare. Mais quel enchantement ! Le 91, avec sa robe dorée, ses arômes de safran et de réglisse et sa finale confite est sans aucun doute le plus beau Chinon blanc que l'on puisse rencontrer. Encore que le 78 lui fasse concurrence par un caractère de chenin affirmé et une bouche de miel tout en puissance. Des blancs parfaitement vinifiés, sans sacrifier à la mode de la fermentation malolactique, qui donnent une raison supplémentaire de faire un détour en ce bon pays de Véron. Pour goûter les vins d'Olga Raffault autant que ses paroles.

Raffault (Jean-Maurice)

Commune : Savigny-en-Véron. **Propriétaire :** Jean-Maurice Raffault. **Superficie :** non communiqué. **Age moyen du vignoble :** non communiqué. **Encépagement :** non communiqué. **Production :** non communiqué. **Vente au domaine et par correspondance :** Jean-Maurice Raffault, La Croix, 37420 Savigny-en-Véron. Tél. : 47.58.42.50. **Visite :** tous les jours, 10 h – 12 h 30 / 14 h – 17 h. **Commercialisation :** non communiqué.

Non communiquée

Il paraît que l'accueil de Jean-Maurice Raffault est sympathique, que sa cave renferme une jolie salle ornée d'outils anciens et que le vignoble du domaine, réparti sur six communes, offre une exceptionnelle diversité des terroirs chinonais. Il paraît seulement, car, après nous avoir soumis trois échantillons, Jean-Maurice Raffault n'a jamais répondu à nos sollicitations, ni rempli l'indispensable fiche qui nous aurait permis de vous en dire plus. J'espère que ses clients auront plus de chance. Côté vins, passons sur celui de l'année, manifestement trop jeune pour être apprécié. Le 93 présente un nez très complexe et légèrement oxydé, de marc de fruits confits et de pomme cuite, sur une bouche vive et boisée, « En plein flirt avec le sous-bois », comme l'a noté un dégustateur. Lui aussi évoluera favorablement. Le 90 se montre assez typique de son année mais un peu sévère. Un Chinon standard, sans grande personnalité, surtout au regard de celle du maître des lieux. Enfin, il paraît.

Raifault (Domaine du)

Communes : Savigny-en-Véron, Chinon et Beaumont-en-Véron. **Propriétaire :** Raymond Raffault. **Superficie :** 30 ha. **Age moyen du vignoble :** 40 ans. **Encépagement :** cabernet-franc 28 ha, chenin 1 ha. **Production :** Chinon rouge 1 200 hl, Chinon rosé 150 hl, Chinon blanc 55 hl. **Vente au domaine et par correspondance :** Raymond Raffault, 23 - 25, route de Candes, 37420 Savigny-en-Véron. Tél. : 47.58.44.01. **Visite :** Marie-Claude et Raymond Raffault, du lundi au samedi (dimanche sur R.-V.) 8 h – 19 h. **Commercialisation :** vente directe 80 % dont export 10 %, négoce 20 %.

Avec un brin de rudesse et une belle complexité, le vin de Raymond Raffault se révèle avec le temps.

Les origines du manoir à tour polygonale, typique des gentilhommières chinonaises de petite noblesse, doivent remonter au xve ou au xive siècle. Très vite, les nobles du lieu se désintéressent de cette jolie demeure, qui est mentionnée à la fin du xviiie siècle comme faisant office de ferme ou de métairie. Les hasards des ventes et des successions font parfois bien les choses puisque en 1843 le Raifault devient propriété de Pierre Raffault. Ce voisinage orthographique laisse penser que le domaine retombait dans l'escarcelle de la famille qui l'avait créé. Il a, depuis, été transmis sans quitter la lignée des Raffault, pour aboutir en 1973 à Raymond, l'actuel propriétaire. Première remarque, ces Raffault-là – Raymond est le frère de Jean-Maurice – n'ont aucun rapport avec Olga, si ce n'est l'homonymie. Raymond Raffault, désormais à la tête d'un ensemble respectable de 30 hectares, est une personnalité chinonaise. Il est d'ailleurs l'un des piliers actuels du Syndicat pour lequel il occupe les fonctions de trésorier. Cet homme pressé aux yeux malicieux a plus d'une corde à son arc puisqu'il possède en compagnie de son frère Jean-Maurice et de Michel Fontaine l'immense cave Monplaisir – 2500 m^2! – à l'entrée de Chinon. Celle-ci, avec sa gigantesque salle de réception et ses alignements de fûts bordelais, accueille plus de 10 000 visiteurs par an. Les vignes de Raymond Raffault sont situées en majorité sur les terrains sableux des rives de Loire au nord du Véron – dont certaines au pied de la centrale – et sur les coteaux argilo-calcaires de Beaumont. Notre homme est un adepte des vendanges mécaniques, encore qu'il travaille

à la main les plus vieilles vignes du domaine, dont certaines atteignent, sur Le Villy, l'âge respectable de 90 ans. Dans son chai moderne, équipé de cuves thermorégulées par ruissellement, il pratique des fermentations longues et un élevage en bois tout aussi respectable, qui peut atteindre dix-huit mois pour certaines cuvées. Il nous a proposé trois cuvées représentatives de sa production. Nous avons adoré le « Domaine du Raifault », un vin de très grande qualité, dont le nez réalise une subtile alliance végétale et animale, et dont la bouche dévoile une expression et un équilibre remarquables. Ce très beau vin doit encore patienter pour atteindre son apogée. La cuvée « Les Allets », issue de 2,5 hectares de vignes sur sables, et élevée douze à quinze mois en bois, nous est apparue tout aussi prometteuse, mais encore très fermée. On y retrouve un nez de cassis aux notes animales et une attaque franche, très concentrée, aux tanins encore asséchants. Un vin austère qui doit attendre quelques années pour se révéler. Petite déception, par contre, sur « Le Villy » : ce vin est produit sur les coteaux argilo-calcaires de Beaumont, avec des vignes de 20 à 90 ans, et élevé en bois girondin durant un an et demi. Le 90 que nous avons goûté nous a semblé déjà très évolué pour son jeune âge, avec une amertume trop marquée. Cela dit, il ne faut pas en vouloir à Raymond Raffault qui prévient sur l'étiquette en mentionnant « Apogée 2000 ». C'est vrai que ses arômes végétaux et sa bouche de fruits secs devraient faire merveille lors du réveillon du troisième millénaire. Mais d'ici là il faut attendre et ce n'est pas le plus facile.

Roche-Honneur (Domaine de la)

Commune : Savigny-en-Véron. **Propriétaire :** Stéphane Mureau. **Superficie :** 13 ha. **Age moyen du vignoble :** 29 ans. **Encépagement :** cabernet-franc 13 ha. **Production :** Chinon rouge 600 hl, Chinon rosé 50 hl. **Vente au domaine et par correspondance :** Stéphane Mureau, 1, rue de la Berthelonnière, 37420 Savigny-en-Véron. Tél. : 47.58.42.10. **Visite :** Stéphane Mureau, du lundi au samedi (sur R.-V.) 9 h – 12 h / 14 h – 19 h. **Commercialisation :** vente directe 75 % dont export 3 %, négoce 25 %.

Propriétaires depuis au moins sept générations, peut-être plus, les Mureau peuvent se vanter d'une solide tradition familiale. Ils possèdent d'autres atouts, dont 94 % de leurs surfaces en propriété, ce qui est assez rare sous ces latitudes, et surtout la magnifique cave de la Roche-Honneur avec ses 50 ares de galeries creusées dans le tuffeau. Il doit d'ailleurs s'agir de l'une des plus grandes caves du Véron. Les surfaces de Stéphane Mureau se répartissent sur l'ensemble assez disparate du confluent de la Vienne et de la Loire : sables, graviers, graviers siliceux, argilo-calcaires…, avec l'atout fondamental de cette zone de confluence, constitué par l'une des plus faibles pluviométries de l'ensemble de la vallée de la Loire. Il en résulte des vins très chargés en matière et à l'acidité modérée. Notre homme est un vigneron très consciencieux, comme en témoignent le labour des vignes, les vendanges manuelles précédées d'un effeuillage, l'absence d'amendements azotés – seulement des mini-doses organiques – et une lutte phytosanitaire raisonnée. Stéphane Mureau dispose même désormais de cinq hectares totalement enherbés et de six autres où il taille à deux demi-baguettes pour mieux maîtriser ses rendements. La vinification est à l'avenant : fermentation « chaude » – 33 à 34° – maîtrisée, macération de trois semaines à un mois, avec malo « sous marc », absence de chaptalisation pour les meilleures cuvées et élevage en bois pouvant aller jusqu'à 25 mois.

Ouf! Chaque millésime voit ici naître trois cuvées : la « Cuvée de Pâques » – issue de jeunes vignes et de trois mois de bois –, la « Cuvée Rubis » – vignes de 22 à 35 ans sur graviers et argilo-calcaires avec 8 à 13 mois de fût –, et, pour rester dans les pierres précieuses, la « Cuvée Diamant Prestige » – produite au terme de 15 à 25 mois d'élevage en barriques par des vignes âgées de 40 à 80 ans sur des terroirs d'argilo-calcaire et de sable. Nous avons pu juger des deux dernières. La Cuvée Rubis montre un nez fin, très alcooleux, et une bouche aux tanins encore asséchants. Un vin très bien fait, mais dont la structure mérite deux à trois ans de vieillissement. La cuvée Diamant Prestige, jugée sur un millésime plus ancien, le fameux 89, se révèle elle aussi très tannique. Elle se distingue par un joli nez de fruits cuits encore desservi par une bouche trop sèche. Il faudra, comme sa sœur, patienter encore pour l'apprécier. On dit de certains qu'ils sont les vignerons de demain, Stéphane Mureau travaille manifestement pour après-demain : pourquoi s'en plaindre lorsque la patience peut recevoir de si belles récompenses ?

▲ *L'antre de Stéphane Mureau ressemble à une crypte mystérieuse.*

Roche Saint-Paul (La)

Commune : Ligré. **Propriétaire :** Pierre Ferrand. **Œnologue-conseil :** Ets Charlot. **Superficie :** 5 ha. **Age moyen du vignoble :** 30 à 50 ans. **Encépagement :** cabernet-franc 4 ha, cabernet-sauvignon 1 ha. **Production :** Chinon rouge 250 hl. **Vente au domaine et par correspondance :** Pierre Ferrand, Château de Ligré, 37500 Ligré. Tél. : 47.93.16.70. **Visite :** Fabienne Ferrand, du lundi au vendredi, 8 h – 12 h / 14 h - - 18 h 30 (samedi et dimanche sur R.-V.). **Commercialisation :** vente directe 100 % dont export 7 %.

Pierre Ferrand (voir Château de Ligré) propose cette cuvée de vieilles vignes récoltée sur les coteaux argilo-siliceux et argilo-calcaires des environs de Ligré. De tous les vins du domaine, c'est celui qui effectue le plus long passage en foudres pour une mise d'automne. Il révèle des arômes de fruits cuits et une attaque bien équilibrée aux tanins assez souples : un Chinon élégant et aromatique.

Roncée (Domaine du)

Commune : Panzoult. **Propriétaire :** S.C.E.A. Domaine du Roncée. **Directeur :** Jean-Martin Dutour. **Superficie :** 25 ha. **Age moyen du vignoble :** 30 à 35 ans. **Encépagement :** cabernet-franc 23 ha, cabernet-sauvignon 2 ha. **Production :** Chinon rouge 1 100 hl. **Vente au domaine et par correspondance :** S.C.E.A. Domaine du Roncée, La Morandière, 37220 Panzoult. Tél. : 47.58.53.01. **Visite :** Jean-Martin Dutour, du lundi au vendredi (samedi sur R.-V.) 9 h – 12 h / 14 h – 18 h. **Commercialisation :** vente directe 100 % dont export 10 %.

Roncée offre un paysage paisible.

Situé sur les terrasses anciennes de la rive droite de la Vienne, en limite est de l'aire Chinon, le vignoble du Roncée dispose d'un terroir de graves sur sous-sol de fins graviers argileux. Il s'agit d'un domaine de grande tradition viticole qui relevait au xiie siècle de la châtellenie de L'Ile-Bouchard, dont on sait également que les parcelles étaient ceintes de murs au xve siècle. La dénomination de « clos » n'est donc ici pas usurpée. La grande spécialité de la maison réside dans une vinification séparée des parcelles et des deux clos vedettes : Les Folies et Les Marronniers. Le choix final des assemblages est même réalisé chaque année par un jury de spécialistes, dégustateurs reconnus et sommeliers. Quoi de plus normal pour un domaine qui vend la totalité de sa récolte en direct et qui axe sa politique commerciale sur la restauration. Si la vendange est mécanisée, les deux clos restent récoltés à la main et sont cultivés en taille courte sans apport d'engrais. Ils bénéficient également d'une macération plus longue et d'un élevage en fûts de neuf mois. Les 4 hectares des Folies nous ont ainsi donné un Chinon au nez boisé encore un peu fermé et à la bouche alcooleuse marquée par des tanins rustiques. C'est un vin qu'il faut attendre. Les Marronniers se situent un cran au-dessus : joli nez de fruits rouges et d'eau-de-vie de framboise à la note animale, et bouche structurée et complexe de fruits, un rien pommadée par le bois et la vanille. Un beau Chinon tout en puissance qui ne décevra personne, sauf peut-être le porte-monnaie. Mais ce n'est pas tous les jours dimanche.

Rosiers (Les)

→   Moulin à Tan (Le)

Rouet (Domaine des)

Commune : Cravant-les-Coteaux. *Propriétaire :* Odette Rouet. *Chef de culture et maître de chai :* Jean-François Rouet. *Œnologue-conseil :* G.D.V.V. *Superficie :* 15 ha. *Age moyen du vignoble :* 27 ans. *Encépagement :* cabernet-franc 15 ha. *Production :* Chinon rouge 550 hl, Chinon rosé 50 hl. *Vente au domaine et par correspondance :* Domaine des Rouet, Chézelet, 37500 Cravant-les-Coteaux. Tél. : 47.93.19.41. *Visite :* Jean-François et Odette Rouet, tous les jours 9 h – 19 h. *Commercialisation :* vente directe 100 % dont export 5 %.

La famille Rouet possède ce domaine depuis au moins cent trente ans : sept générations d'amoureux de la vigne se sont succédé ici et la huitième pointe son nez avec Jean-François, le fils de la maison, qui prend cette année les choses en main. C'était jusqu'ici Odette Rouet qui menait cette propriété cravantaise, située sur des terroirs de sables et limons. Les techniques allient avec bonheur le classicisme le plus forcené – labour, désherbage mécanique, absence d'engrais chimiques, vendange manuelle sur les vieilles vignes – et le modernisme éprouvé – vendanges mécaniques, contrôle de température...

Odette Rouet vient de céder sa place à son fils.

Nous avons trouvé ici un Chinon léger, à la robe claire, au nez de fruits rouges et à l'attaque végétale : un vrai vin de Pâques, qui devra être bu assez rapidement.

Rousse (Wilfrid)

Communes : Savigny-en-Véron et Chinon. *Propriétaire :* Wilfrid Rousse. *Superficie :* 11 ha. *Age moyen du vignoble :* 35 ans. *Encépagement :* cabernet-franc 11 ha. *Production :* Chinon rouge 450 hl, Chinon rosé 50 hl. *Vente au domaine et par correspondance :* Wilfrid Rousse, 1, rue du Stade, 37420 Savigny-en-Véron. Tél. : 47.58.84.02. *Visite :* Wilfrid Rousse, du lundi au samedi (sur R.-V.) 9 h – 18 h. *Commercialisation :* vente directe 80 % dont export 5 %, négoce 20 %.

Le père de Wilfrid Rousse est entrepreneur en machinisme agricole. Wilfrid nous a donné cette précision en ajoutant qu'il ne fallait pas en parler. Cette – petite – trahison n'est là que pour souligner le fait que, si notre homme ne peut se prévaloir d'une riche tradition familiale, il la compense par une solide passion, puisque rien ne le prédestinait à exercer ce noble métier. Le néo-vigneron s'est installé en 1987, sur 6 hectares qui ont fait des petits puisque la propriété en compte désormais 11. Ils sont situés sur les terrains sableux du Véron, ainsi que sur les coteaux chinonais. Comme souvent chez les jeunes vignerons, une solide technique viti-vinicole compense ici l'empirisme familial : notre homme laboure ses vignes, récolte mécaniquement à 90 %, mais toujours à faibles rendements, vinifie « à chaud » – 35° ! – en cuve pilée pour extraire le maximum de tanins, tandis que les fermentations se font « sous marc ». Il en résulte un vin au nez légèrement boisé, une bonne attaque charnue et de jolis arômes cuits : un Chinon de belle harmonie, rustique au sens le plus noble du terme. Ne quittons pas Wilfrid sans insister sur sa cave. Il partage cette cathédrale creusée dans le tuffeau – la voûte fait 9 mètres de haut –, son hectare et demi de galeries et ses douze cavités avec cinq autres vignerons. Un bel endroit et un vigneron jeune, sympathique et passionné avec lequel il est agréable de faire le tour des vins de la propriété.

Wilfrid Rousse est un jeune vigneron qui fait son chemin.

Rubis (Cuvée)

→ *Roche-Honneur (Domaine de la)*

Saint-Louand (Château de)

Commune : Chinon. **Propriétaire :** Bonnet-Walther. **Directeur :** Paul Bonnet. **Chef de culture et maître de chai :** Jean-Christophe Pelletier. **Superficie :** 6 ha 50 a. **Age moyen du vignoble :** 35 ans. **Encépagement :** cabernet-franc 5 ha 65 a, chenin 85 a. **Production :** Chinon rouge 250 hl, Chinon blanc 40 hl. **Vente au domaine et par correspondance :** Bonnet-Walther, Saint-Louand, 37500 Chinon. Tél. : 47.93.48.60. **Visite :** Jean-Christophe Pelletier, tous les jours (sur R.-V.). **Commercialisation :** vente directe 70 %, négoce 30 %.

Jean-Christophe Pelletier, qui cultive et vinifie les vignes de Saint-Louand aux côtés des siennes – voir Domaine des Béguineries – nous fait cette remarque préalable : « Attention à l'orthographe ! Malgré tous les panneaux routiers et officiels qui annoncent le lieu-dit Saint-Louans, la bonne écriture est Saint-Louand avec un « d » final. » Nous voilà prévenus avant d'entamer l'historique de la propriété. C'est le docteur Charles Walther, chirurgien, qui fut aussi président de l'Académie de médecine, qui acheta ces vignes à la fin du siècle dernier. Il s'agissait d'une dépendance du Château du Pin, intitulée le « Clos de Trompegueux » depuis des temps immémoriaux et dont on disait que Rabelais l'avait citée. Le vin était alors consommé par ses heureux propriétaires et diffusé confidentiellement dans la proche région. A la mort de Charles Walther, en 1935, le domaine échut à sa fille et à son gendre, Georges Bonnet. Ce dernier géra la propriété avec conscience jusqu'à sa mort en 1981, tenant même une grande place dans l'évolution du Chinon en tant qu'appellation. C'est désormais son fils, Paul, qui préside aux destinées de cette propriété légendaire. Le nom de « Trompegueux » fit l'objet de nombreuses recherches afin d'en déterminer la provenance. On pensa tout d'abord qu'un précédent propriétaire avait eu la fâcheuse habitude de mouiller ses vins à un point tel que chacun aurait pu s'en rendre compte. Las, on eut beau fouiller tout Rabelais, aucune mention n'apparaissait. Un érudit local vint à la rescousse, indiquant qu'en « vieux françois », « trompes » signifiait « godasses », et qu'il devait donc s'agir d'un ancien chemin piétiné par les gueux. Un autre érudit, d'envergure internationale celui-là, apprenant l'affaire, apporta sa pierre à l'édifice en établissant un parallèle avec l'anglais « tramp » qui désigne un vagabond. Paul Bonnet ne manque pas de voir le clin d'œil du riche passé local dans cette origine commune des termes : Chinon ne fut-elle pas la capitale des Plantagenêt et donc de la perfide Albion ? Il reste à ajouter que Paul Bonnet eut à cœur de souligner la noblesse légitime de sa vigne en lui adjoignant un nom de château. Le « Pin » étant déjà déposé, notre homme finit par se rabattre sur « Saint-Louand » en 1990. Quant au fameux clos, la réglementation tatillonne l'obligea à se transformer en réserve. C'est lui que nous avons pu déguster et qui nous a convaincus de son élégance de lignée. Il présente un nez riche de réglisse, de vanille et de fruits rouges, confirmé par une attaque très veloutée et une bouche discrète mais très équilibrée et fondue. Un Chinon racé qui réussira à vieillir mais que les plus impatients pourront servir immédiatement.

Le majestueux portail de Saint-Louand.

Saut-au-Loup *(Clos du)*

Commune : Ligré. **Propriétaire :** Jean-Marie Dozon. *Œnologue-conseil :* Laboratoire départemental. **Superficie :** 23 ha. *Age moyen du vignoble :* 35 ans. **Encépagement :** cabernet-franc 22 ha 60 a, chenin 40 a. **Production :** Chinon rouge 900 hl, Chinon rosé 45 hl, Chinon blanc 18 hl. *Vente au domaine et par correspondance :* E.A.R.L. Dozon, Le Rouilly, 37500 Ligré. Tél. : 47.93.17.67. *Visite :* Jean-Marie Dozon, du lundi au vendredi 9 h – 18 h (samedi sur R.-V.). **Commercialisation :** vente directe 80 % dont export 7 %, négoce 20 %.

« Saut signifie source. Quant au loup, il y avait de nombreux bois alentour. » Jean-Marie Dozon plante ainsi le décor. La famille Dozon vit et travaille dans la région depuis plusieurs générations. On retrouve d'ailleurs de nombreux Dozon sur les rives du fleuve, tout au long de la Vienne. Les Dozon n'ont toutefois gravi qu'assez récemment les coteaux de Ligré l'ancienne pour s'y implanter : il y a tout au plus quatre générations. Le domaine avait bien un passé viticole, mais le phylloxéra l'avait incité à se tourner vers d'autres cultures. A la veille de la Seconde Guerre mondiale, le grand-père de Jean-Marie Dozon acheta 10 ares de vignes. Il étendit les plantations jusqu'à 4 hectares. Son fils Paul continua sur le même registre pour atteindre 13 hectares, avant que Jean-Marie ne lui donne sa surface actuelle de 23 hectares. Notre homme a pourtant suivi un itinéraire personnel plus tortueux que sa lignée ne pourrait le laisser penser. Agronome de formation, spécialisé en pédologie, il passa en effet de longues années en Afrique – Niger, Maroc et Sahel – avant de reprendre l'exploitation en 1973. Il ne cache d'ailleurs pas une profonde nostalgie de la terre africaine, que la douceur chinonaise ne parvient pas à lui faire oublier. Mais, c'est bien connu, la vigne est une maîtresse exigeante, et Jean-Marie s'est attaché à conduire son domaine avec conscience et efficacité. Avant de parler des méthodes et des vins du domaine, il convient de s'attarder sur la maison en elle-même. Ancienne demeure noble des environs de Ligré, cette bâtisse de tuffeau

Coup de chapeau à Jean-Marie et Paul Dozon !

enserrée de vignes communique un charme évident. Un lieu à découvrir sous le soleil du printemps pour en tirer toute la sérénité. Le Clos du Saut-au-Loup, fleuron du domaine, s'étend sur treize hectares d'un seul tenant. Il est situé sur un coteau argilo-siliceux exposé au sud et protégé, au nord et à l'est, par un massif boisé. Jean-Marie Dozon y pratique une culture maniaque : les plus vieilles vignes – plus de 50 ans – sont exploitées en non-culture et paillées – la paille est placée un rang sur deux et alternée tous les trois ans. Les vendanges sont bien évidemment manuelles, précédées d'un effeuillage pneumatique afin de faciliter les tris. Côté vinification, les choses sont plus classiques mais tout aussi précises : Jean-Marie aime une bonne montée en température pour démarrer ses fermentations, avant de les stabiliser entre 25 et 28°. Notons quand même que notre vigneron réalise ses fermentations en cuve ouverte et qu'il préfère la fibre de verre à l'acier pour mieux éclaircir ses moûts. Il effectue des pigeages et des remontages deux fois par jour – en maillot de bain ! – pour une meilleure extraction. Quant au bois, si ses vins y font un séjour modulé en fonction du millésime, il ne s'agit que de fûts d'un deuxième vin, et l'élevage ne se fait que dans le chai à 18-19° pour obtenir la meilleure oxygénation sans trop marquer le boisé. Il était donc évident que nous allions trouver dans nos verres un superbe Chinon de garde, comme le terroir de Ligré sait en livrer. Nous n'avons pas été déçus par ce 89 : son nez de fruits mûrs, légèrement cuits, est un régal qui ouvre sur une bouche en harmonie. Pour la petite histoire, Jean-Marie Dozon propose désormais deux Clos du Saut-au-Loup : la Cuvée Alexandre – vignes de 35 ans sur argile – et la Cuvée Laure – ceps de 35 ans sur argilo-siliceux. Le premier se montre très Chinon avec des dominantes de fruit et de poivron. Le second apparaît plus poivré et fumé, et montre un équilibre du meilleur aloi. Je terminerai en disant un petit mot des deux autres cuvées de la maison, la Cuvée des Lysons et la Cuvée des Fabrices. Elles proviennent toutes deux du même coteau que leur grand frère, mais bénéficient d'un terroir argilo-calcaire, avec, pour les Lysons, de jeunes vignes d'une dizaine d'années. Si le premier vin reste dans le droit fil de la maison, les Lysons apparaissent comme des vins plus gouleyants. De nombreuses bonnes raisons, en tout cas, de venir prendre une bonne bouffée de quiétude auprès du sympathique Jean-Marie Dozon et de sa belle barbe blanche.

Semellerie (Domaine de la)

Commune : Cravant-les-Coteaux. **Propriétaires :** Jean-Claude et Fabrice Delalande. **Chef de culture :** Fabrice Delalande. **Maîtres de chai :** Jean-Claude et Fabrice Delalande. **Superficie :** 31 ha. **Age moyen du vignoble :** 25 ans. **Encépagement :** cabernet-franc 31 ha. **Production :** Chinon rouge 1 550 hl. **Vente au domaine et par correspondance :** G.A.E.C. de la Semellerie, La Semellerie, 37500 Cravant-les-Coteaux. Tél. : 47.93.11.09. **Visite :** Jean-Claude et Fabrice Delalande, du lundi au samedi (sur R.-V.) 8 h – 19 h. **Commercialisation :** vente directe 30 %, négoce 70 %.

Jean-Claude Delalande a reçu en héritage ce domaine en 1964. Il ne comptait alors que cinq hectares. Jean-Claude descendait bien d'une famille de vignerons, mais son père ne l'avait pas vraiment incité à entrer dans la carrière viticole. Notre homme s'est pourtant assez vite pris au jeu, au point de représenter désormais un bel ensemble de 31 hectares, pour lequel son fils Fabrice est venu récemment lui prêter main-forte. Sur ce coteau orienté plein sud qui domine la Vienne, le plus élevé de Cravant, Fabrice pratique une culture on ne peut plus classique, avec des vignes labourées et une récolte mécanique. Le sol est argilo-siliceux, caractérisé par l'abondance de cailloux. Ils ne facilitent pas sa tâche mais favorisent la maturation des raisins par un meilleur drainage et par la réverbération de la chaleur solaire qu'ils transmettent aux ceps durant la nuit. Son père, qui veille aux vinifications, est un adepte de fermentations assez courtes – 15 à 25 jours – dans ses cuves inox thermorégulées. Le vin passe ensuite six mois en bois, pour une mise au printemps. Nous avons pu goûter un vin de l'année : chacun s'est accordé sur les qualités de ce Chinon typique, bien servi par un nez de fruits rouges, confirmé en bouche par une pointe d'épices. Une nouvelle salle de réception a été aménagée pour l'accueil des visiteurs et la dégustation. Une raison de plus de gravir le coteau pour venir goûter ces jolis vins.

Sourdais-Taveau (Cuvée)

→ *Logis de la Bouchardière (Le)*

Tranchée (Domaine de la)

 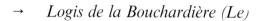

Commune : Beaumont-en-Véron. **Propriétaire :** Pascal Gasné. **Superficie :** 14 ha. **Age moyen du vignoble :** 20 ans. **Encépagement :** cabernet-franc 13 ha 50 a, cabernet-sauvignon 50 a. **Production :** Chinon rouge 725 hl. **Vente au domaine et par correspondance :** Pascal Gasné, La Tranchée, 37420 Avoine. Tél. : 47.58.91.78. **Visite :** Pascal Gasné, tous les jours (sur R.-V.). **Commercialisation :** vente directe 50 % dont export 5 %, négoce 50 %.

Le Domaine de la Tranchée est installé à Avoine, mais son vignoble se situe sur les coteaux calcaires de la commune voisine de Beaumont-en-Véron. Pascal Gasné, fils d'une famille de vignerons, s'est tout naturellement installé sur le domaine familial sitôt ses études de viticulture achevées. Il présente la particularité de procéder à un élevage de six à douze mois en fûts de châtaignier et d'effectuer la mise en bouteille un an après la récolte.

Turpenay (Clos de)

→ *Coulaine (Château de)*

Varennes du Grand Clos (Les)

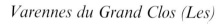

→ *Joguet (Charles)*

Vaugaudry (Château de)

Commune : Chinon. **Propriétaire :** S.C.E.A. Château de Vaugaudry. **Directeur :** Françoise Belloy. **Chef de culture et maître de chai :** Philippe Montigny. **Œnologue-conseil :** Anne Blain. **Superficie :** 11 ha 50 a. **Age moyen du vignoble :** 9 ans. **Encépagement :** cabernet-franc 11 ha 50 a. **Production :** Chinon rouge 450 hl. **Vente au domaine et par correspondance :** S.C.E.A. Château de Vaugaudry, Vaugaudry, 37500 Chinon. Tél. : 47.93.13.51. **Visite :** Réjane Proust et Antoine Belloy, tous les jours (sur R.-V.). **Commercialisation :** vente directe 80 % dont export 10 %, négoce 20 %.

Le château de Vaugaudry est en train de redorer son étiquette.

Il est bien difficile de ne pas succomber au charme de cette belle demeure du xixe lorsque l'on arpente les routes du Chinonais. Elle veille, en effet, en surplomb de la nationale qui relie la capitale de la Rabelaisie aux contrées viticoles du sud-est de ce pays imaginaire. L'origine de la propriété est fort ancienne, puisque Rabelais en fait mention dans *Gargantua*. Dès le xvie siècle, les deux seigneuries voisines de Vaugaudry et du Plessis-Gerbault – le clos emblématique de la maison – appartiennent déjà à la même famille. Un siècle plus tard, on les retrouve aux mains des Dreux, une riche famille de magistrats chinonais. Anne-Françoise-Catherine, épouse de Philippe Dreux, alors maître des requêtes et conseiller du roi, sera d'ailleurs fortement compromise dans l'Affaire des poisons. Au milieu du xixe siècle, Vaugaudry est profondément remanié par le propriétaire de l'époque, qui fait construire l'actuel château sur les bases de l'ancien. Il entoure également le domaine d'un mur d'enceinte qui le met à la tête d'un clos de 58 hectares. L'exploitation viticole du domaine est alors à son apogée, comme en atteste le chai édifié au tout début du siècle. Mais les difficultés et les aléas liés au commerce des vins de Loire entre les deux guerres vont avoir raison des efforts des tenants de Vaugaudry, qui se tournent vers d'autres cultures. Le docteur Bonnet en fait l'acquisition en 1949. C'est sa fille, Françoise, et son époux, Marc Belloy, qui entreprendront en 1980 de redonner à Vaugaudry son lustre viticole d'antan. Les premières plantations datent de cette époque : cela explique que ce domaine soit encore convalescent. Le chai a reçu en 1989 un équipement à la mesure des ambitions du domaine avec un égrappoir à cage tournante et une cuverie inox thermorégulée à système de pigeage. Vaugaudry dispose de deux vignobles : celui du château en lui-même, d'une surface de 10 hectares 50, et celui du Plessis-Gerbault pour 1 hectare. Tous deux sont situés sur une terrasse à flanc de coteau sur la rive sud de la Vienne. Le Château de Vaugaudry nous a un peu déçus par sa légèreté. Une conséquence, sans aucun doute, de l'âge tendre de ses vignes. Il offre un joli nez de groseilles mais manque un peu de matière en bouche : c'est un vin très tendre pour le millésime. Le Clos du Plessis-Gerbault se montre plus complexe : il présente un nez boisé – c'est le seul vin du domaine à passer en fûts – et une jolie bouche de tabac et de caramel. C'est un vin à boire immédiatement, dont l'élégance devrait séduire. Il témoigne en tout cas des futures et légitimes prétentions du château, qui ne devrait pas tarder à rejoindre la cour des grands qu'il n'aurait jamais dû quitter.

Versailles (Domaine de)

Commune : Cravant-les-Coteaux. **Propriétaires :** Christian et Denis Gasnier. **Chef de culture :** Christian Gasnier. **Maître de chai :** Denis Gasnier. **Superficie :** 14 ha. **Age moyen du vignoble :** 40 ans. **Encépagement :** cabernet-franc 14 ha. **Production :** Chinon rouge 630 hl. **Vente au domaine :** G.A.E.C. Domaine de Versailles, 3 et 4, Le Puy, 37500 Cravant-les-Coteaux. Tél. : 47.93.03.10. **Visite :** Annick et Denis Gasnier, tous les jours. **Commercialisation :** vente directe 20 %, négoce 80 %.

Les origines de ce vignoble remontent à 1892. Il était constitué à cette époque de breton et d'hybrides. Il n'a jamais quitté la famille des actuels propriétaires mais présente la particularité d'avoir initialement été transmis de filles en filles. Cette tradition n'est actuellement plus perpétuée, puisque que c'est un garçon, Denis, qui reprend actuellement le domaine au côté de son père. Le véritable tournant viticole de la maison date de 1950, puisqu'à cette époque le grand-père de Denis l'a définitivement tourné vers le cabernet-franc, conservant tout de même quelques céréales. Le vignoble est réparti sur les coteaux argilo-siliceux et sur les plaines de graves. Culture et vinification sont on ne peut plus classiques pour ce vin léger et agréable, qui doit être bu rapidement. Il présente un nez discrètement poivré et une bouche végétale teintée de cuir.

Villy (Le)

→ *Raifault (Domaine du)*

Annexes

Index alphabétique des propriétaires
et exploitants

ALLIET Philippe
Philippe Alliet

ANGELLIAUME Gérard et Martine
Domaine des Falaises
Gérard Angelliaume

AUBERT Claude
Domaine Claude Aubert

BARC André
Clos de la Croix-Marie
Clos de la Galvauderie - Cuvée Gargantua
Domaine de la Croix-Marie

BAUDRY Bernard
Domaine Bernard Baudry
Les Granges
Les Grézeaux

BAUDRY Jean et Christophe
Domaine de la Doulaie
Cuvée Marie-Justine
Domaine de la Perrière

BONNAVENTURE Étienne (DE)
Château de Coulaine
Clos de Turpenay

BONNET-WALTHER
Château de Saint-Louand - Réserve de
Trompegueux

BOURNIGAULT Joël
Cave du Coteau de Sonnay

BRUNET Pascal
Pascal Brunet

CAILLÉ Guy et François
Domaine de la Poëlerie

CENTRE VITI-VINICOLE
Domaine des Millarges

CHAUVEAU Daniel et Christophe
Domaine Daniel Chauveau

CHAUVEAU Gérard et David
Domaine de Beauséjour

COULY-DUTHEIL (S.C.I.)
La Baronnie Madeleine
Les Chanteaux
Clos de l'Écho
Clos de l'Olive
La Diligence
Domaine René Couly
Les Garous
Les Gravières d'Amador Abbé de
Turpenay

DELALANDE Christian
Domaine de la Poterne

DELALANDE James et Patrick
Domaine du Puy

DELALANDE Jean-Claude et Fabrice
Domaine de la Semellerie

DELALANDE Robert
Domaine de la Poterne

DEMOIS Marie-Louise
Domaine de la Grange-Billard

DOZON Jean-Marie
Clos du Saut au Loup
Cuvée des Fabrices
Cuvée des Lysons
Domaine Dozon

DUDOGNON Fabrice
Fabrice Dudognon

FAROU Louis
Clos du Parc de Saint-Louans

FERRAND Pierre
Château de Ligré
Cuvée Pierre
La Roche Saint-Paul

FONTAINE Michel
Clos de la Collarderie
Domaine de l'Abbaye

GASNÉ Pascal
Domaine de la Tranchée

GASNIER Christian et Denis
Domaine de Versailles

GASNIER Jacky et Fabrice
Vignoble Gasnier

GOSSET Laurent
Château de la Grille

GOURON Jacky et Laurent
Domaine Gouron

GUERTIN Paul
Clos du Martinet
Paul Guertin

JAILLAIS Yves et Thierry
Clos de Noiré
Domaine de la Haute Olive

JOGUET Charles
Le Clos du Chêne vert
Le Clos de la Cure
Le Clos de la Dioterie
Les Varennes du Grand Clos

LAMBERT Béatrice et Pascal
Domaine les Chesnaies

LAMBERT Patrick
Patrick Lambert

LOISEAU Yves
Domaine du Colombier

LORIEUX Pascal et Alain
Alain Lorieux

LOUP Raymond et Jean-Louis
Domaine de Bel Air

MANZAGOL-BILLARD (S.C.E.A.)

Domaine de la Noblaie
MAUCLER Jean
Domaine La Grange Liénard

MOREAU Béatrice et Patrice
Manoir de la Bellonière

MUREAU Stéphane
Cuvée Rubis
Diamant Prestige
Domaine de la Roche-Honneur

PAIN Charles
Domaine Charles Pain

PAIN Philippe
Domaine de la Commanderie

PARADIS (Vignoble du)
Clos Lysardière
Clos de la Niverdière
Le Paradis

PELLETIER Jean Christophe
Domaine des Béguineries

PICHARD Philippe
Les Caillères
Domaine de la Chapelle

PION Philippe
Domaine des Quatre Vents

PLOUZEAU Pierre
Château de la Bonnelière

PRIEUR Pierre
Pierre Prieur

RAFFAULT Jean
Les Barnabés
Les Peuilles
Les Picasses

RAFFAULT Jean-Maurice

RAFFAULT Marie-Pierre et Nicole

Le Chai des Loges
RAFFAULT Raymond
Les Allets
Domaine du Raifault
Le Villy

RONCÉE (S.C.E.A. Domaine du)
Clos des Folies
Clos des Marronniers
Domaine du Roncée

ROUET Odette
Domaine des Rouet

ROUILLER Bruno
Domaine de la Maçonnière

ROUSSE Wilfrid
Wilfrid Rousse

ROUZIER-MESLET
Domaine des Géléries

SOURDAIS Gérard et Guillaume
Domaine des Bouquerries

SOURDAIS Jean-Bernard
Domaine de Pallus

SOURDAIS Pierre
Le Moulin à Tan
Réserve Stanislas
Les Rosiers

SOURDAIS Serge et Bruno
Les Clos
Les Cornuelles
Le Logis de la Bouchardière
Les Quatre Ferrures
Cuvée Sourdais-Taveau

SPELTY Gérard
Clos de Neuilly
Domaine du Carroi-Portier - sélection
Graviers

VAUGAUDRY (S.C.E.A. Château de)
Château de Vaugaudry
Clos du PlessisGerbault

188

Millésime	Début des vendanges	Appréciation
1847	15 octobre	abondance
1848	10 octobre	bon vin pas cher
1849	5 octobre	passable
1850	14 octobre	passable
1851	20 octobre	passable
1852	11 octobre	meilleur
1853	2 novembre	mauvais
1854	23 octobre	ordinaire
1855	19 octobre	passable
1856	12 octobre	bon vin
1857	5 octobre	ordinaire
1858	1er octobre	vin de la comète : remarquable
1859	5 octobre	bon vin
1860	30 octobre	mauvais vin, appelé «rompion»
1861	7 octobre	passable
1862	6 octobre	ordinaire
1863	9 octobre	passable
1864	3 octobre	passable
1865	23 septembre	bon vin, extra
1866	10 octobre	bon vin
1867	15 octobre	grand vin
1868	5 octobre	bon vin
1869	25 octobre	ordinaire
1870	1er octobre	vin extraordinaire, sans pareil
1871	12 octobre	viné et bon vin
1872	15 octobre	bien passable
1873	20 octobre	ordinaire
1874	4 octobre	très distingué par sa finesse
1875	25 octobre	grande vinée passable
1876	29 septembre	bon vin fort et corsé
1877	12 octobre	bon vin, conserve sa verdeur
1878	25 octobre	les raisins ont gelé sur les ceps, passable
1879	10 novembre	mauvais, surnommé «le bidru»
1880	2 novembre	presque aussi mauvais
1881	4 octobre	bon vin, très recherché
1882	18 octobre	grande comète, vin passable
1883	14 octobre	vin bien ordinaire
1884	10 octobre	bon vin, bien réussi et cher
1885	12 octobre	quantité de vignes défeuillées
1886	20 octobre	vignes défeuillées, partie de vin gâtée
1887	17 octobre	bon vin réussi, petite vinée
1888	20 octobre	vin quasi bidru, mildiou
1889	14 octobre	vignes sulfatées, vin réussi, cher
1890	20 octobre	bon vin, bien réussi
1891	21 octobre	bon vin marchand, bonne qualité
1892	3 octobre	grandes gelées le 20 avril, bon vin de bouteille
1893	11 septembre	bon vin extra
1894	19 octobre	vin ordinaire
1895	11 octobre	vignes sulfatées, bon vin, surtout en blanc
1896	28 septembre	vin ordinaire
1897	9 octobre	mauvais vin et peu
1898	17 octobre	passable
1899	6 octobre	bon
1900	3 octobre	bon vin de bouteille
1901	1er octobre	bon vin de bouteille

Millésime	Début des vendanges	Appréciation
1902	12 octobre	mauvais vin
1903	15 octobre	mauvais vin et peu
1904	3 octobre	bon vin de bouteille
1905	2 octobre	petit vin
1906	28 septembre	bon vin de bouteille
1907	19 octobre	mauvais vin
1908	5 octobre	vignes éfeuillées, mauvais vin
1909	11 octobre	mauvais vin et peu
1910	19 octobre	très peu, pas bon
1911	29 septembre	bon vin de bouteille
1912	8 octobre	raisins gelés sur les ceps, beaucoup de vin, petite qualité
1913	17 octobre	très peu et mauvais
1914	12 octobre	bon vin de bouteille
1915	4 octobre	mauvaise année, pas de breton
1916	13 octobre	bon vin, très peu
1917	4 octobre	bon vin, très peu
1918	8 octobre	bon vin
1919	4 octobre	bon vin de bouteille
1920	28 octobre	mauvaise récolte
1921	8 octobre	bon vin extra
1922	14 octobre	vin passable, récolte abondante
1923	10 octobre	demi-récolte, petit vin
1924	11 octobre	vin petit, mauvaise année
1925	15 octobre	mauvaise récolte
1926	16 octobre	mauvaise récolte
1927	15 octobre	mauvaise récolte
1928	5 octobre	très bon vin
1929	9 octobre	vin très fruité
1930	18 octobre	petit vin, mildiou
1931	14 octobre	petit vin, mildiou
1932	15 octobre	petit vin, mildiou
1933	7 octobre	excellent, bonne réussite
1934	6 octobre	très bon, bonne récolte
1935	8 octobre	mauvaise récolte
1936	11 octobre	médiocre récolte
1937	12 octobre	vin moyen
1938	15 octobre	petit vin, petite récolte
1939	11 octobre	bon vin, récolte normale
1940	12 octobre	bon vin, récolte normale
1941	15 octobre	bon vin, récolte normale
1942	14 octobre	vin et récolte moyens
1942	14 octobre	vin et récolte moyens
1943	10 octobre	bon vin, bonne récolte, congé 10 000 francs
1944	10 octobre	bon vin
1945		vignes totalement gelées, récolte nulle
1946	7 octobre	bon vin, petite quantité
1947	29 septembre	vignes défleuries le 2 juin, récolte bonne, vin de grande classe, faible en acidité
1948	11 octobre	vin de très bonne classe
1949	26 septembre	très fin, bonne année
1950	27 septembre	vin moyen
1951	16 octobre	petit millésime, maigre
1952	26 septembre	vin tannique, bonne conservation
1953	5 octobre	vin élégant
1954	18 octobre	année médiocre

Millésime	Début des vendanges	Appréciation
1955	4 octobre	excellente année, grande finesse
1956	15 octobre	faible, vin moyen
1957	7 octobre	très tannique, peu de vin
1958	16 octobre	vin moyen
1959	26 septembre	grande année, vin tannique
1960	29 septembre	grande quantité, vin moyen
1961	3 octobre	grande finesse
1962	18 octobre	bon vin
1963	21 octobre	bon vin léger
1964	5 octobre	grande année
1965	22 octobre	petite année
1966	11 octobre	bon vin
1967	10 octobre	vin tannique
1968	15 octobre	vin léger, fruité
1969	16 octobre	vin de classe
1970	6 octobre	bon millésime avec quantité
1971	5 octobre	peu de vin, élégant, racé
1972	20 octobre	vin acide, tannique
1973	5 octobre	quantité, vin léger
1974	10 octobre	bon vin, très fin
1975	9 octobre	bonne année, vins aimables et fins
1976	20 septembre	très bon vin riche
1977	20 octobre	vignes gelées 50 %, vin moyen
1978	20 octobre	vin extraordinairement aromatique grâce à une arrière-saison miraculeuse, sans eau (du 5 août au 15 novembre)
1979	16 octobre	vin très fruité, très agréable, gelées de printemps
1980	15 octobre	vin maigre, sévère
1981	8 octobre	très beau vin, peu de récolte, coulure en juin
1982	23 septembre	année exceptionnelle en quantité et en qualité, hélas! les pluies à partir du 2 octobre ont désavantagé les vendanges tardives
1983	8 octobre	arrière-saison stupéfiante à partir du 20 septembre, brouillard du 11 septembre jusqu'en novembre, beaux vins, moins aimables qu'en 1982, à conserver pour obtenir de la rondeur
1984	12 octobre	arrière-saison épouvantable, septembre très pluvieux, heureusement, petits volumes, coulure et vendanges sans eau. Vins légers
1985	10 octobre	splendide arrière-saison. 50 hl/ha, très beau vin, grande richesse
1986	13 octobre	retard rattrapé en juin, vendanges dans de bonnes conditions, 60 hl/ha. Vin volontaire, bonne garde, élégant
1987	13 octobre	début septembre fabuleux, gain de 2e en une semaine, 50 hl/ha. Pluie pendant les vendanges, surtout sur la fin, pas de pourri. Vins aimables, de belles choses
1988	8 octobre	fleur à la date normale, début septembre pluvieux, vins ronds, charmeurs, assez vifs et fringants
1989	18 septembre	fin mai très chaud, début juin froid, été chaud et sec, septembre et octobre prodigieux. Vins de grande classe
1990	24 septembre	année sèche et chaude, un peu d'eau en septembre. Record de production, vins souples et harmonieux, très belle année
1991		grosses gelées dans la nuit du 20 avril, année chaude et sèche, végétation repartie mais pas de fruit
1992	26 septembre	année de grosse production, vin un peu dilué par endroit
1993	28 septembre	très belle année. Vins tanniques assez longs à se faire, millésime de garde
1994	23 septembre	année de tous les records : thermométrie, pluviométrie, gel le 15 avril, grêle le 9 août

Toutes les photos de cet ouvrage
sont l'œuvre de Marc Jauneot et Erick Michelot,
« Image de Marc », à Tours,
à l'exception des photos pages 136 et 137,
prêtées gracieusement par M. Couly.